GRANDES ESCRITORES DA LITERATURA FRANCESA

HONORÉ DE BALZAC

A MULHER DE TRINTA ANOS

8ª EDIÇÃO

TRADUÇÃO
MARQUES REBELO

PREFÁCIO
LUISA GEISLER

Editora
Nova
Fronteira

Título original: *La Femme de trente ans*

Direitos de edição da obra em língua portuguesa no Brasil adquiridos pela Editora Nova Fronteira Participações S.A. Todos os direitos reservados. Nenhuma parte desta obra pode ser apropriada e estocada em sistema de banco de dados ou processo similar, em qualquer forma ou meio, seja eletrônico, de fotocópia, gravação etc., sem a permissão do detentor do copirraite.

Editora Nova Fronteira Participações S.A.
Rua Candelária, 60 — 7ª andar — Centro — 20091-020
Rio de Janeiro — RJ — Brasil
Tel.: (21) 3882-8200

Imagem de capa: Alamy

Dados Internacionais de Catalogação na Publicação (CIP)

B198m Balzac, Honoré de

A mulher de trinta anos / Honoré de Balzac ; traduzido por Marques Rebelo. – 8.ed. – Rio de Janeiro : Nova Fronteira, 2022.
216 p. ; 15,5 x 23 cm

ISBN: 9786556404202

1. Literatura francesa. I. Rebelo, Marques. II. Título

CDD: 843
CDU: 821.133.1

André Queiroz – CRB-4/2242

Impresso na Gráfica Santa Marta

Prefácio

A mulher de todos os tempos

Se a palavra "balzaquiana" tivesse um gráfico de frequência em minha vida, eu apontaria seu pico no dia 17 de junho de 2021. Foi quando completei trinta anos e comecei a ouvir de pessoas — pessoas que nem sequer leem, aliás — o termo, diversas vezes. Não que desconhecesse Balzac, mas a surpresa era seu uso vindo de um tio bajeense de sessenta anos, que o mencionava na protocolar chamada de aniversário. Foi quando de fato fui atrás do livro.

Balzac consagrou-se como um dos pais do realismo francês, abordando temas *novos* de uma maneira *nova*. Em *A mulher de trinta anos*, não é diferente: temos tensões sociais, conflitos com dinheiro, meios de transporte (uma literatura que ocorre *em movimento*, a transitoriedade), política, tudo isso visto antes em graus ainda neófitos em comparação à complexidade dada pelo autor. O livro tem uma bela escrita com comentário minucioso sobre a condição feminina no começo de 1800.

Mesmo no século XXI, a idade de trinta anos é marcante para uma mulher: seja pelo mito do relógio biológico, seja por uma série de cobranças que vêm mais do exterior que do interior, seja pela pouca aceitação dos vários "ser" mulher" que ainda vemos. Uma mulher que opta por não ter filhos ainda ouve absurdos que não precisam ser reproduzidos aqui. Há uma pressão por encaixe dentro de um formato e, quanto mais os anos passam, mais as mulheres são pressionadas para se encaixar, como se deslizassem por uma esteira industrial inevitável.

Se tantos anos depois estamos neste ponto, na época de Balzac esse momento era mais definitivo. A mulher não era um indivíduo como *singular*, e os trinta anos eram um momento marcante para aquilo que definia a mulher: o casamento. Se não estavam casadas, se estavam em casamentos infelizes, se tinham filhos nesses casamentos. A única liberdade feminina estava na viuvez. Talvez tenha sido isso que ouvi no "balzaquiana" de meus parentes.

Ao mesmo tempo, Balzac parecia ciente e crítico desse papel. Acompanhamos majoritariamente a vida de Júlia, que muda entre essas atribuições — como filha, esposa, mãe, mãe deprimida, mãe ansiosa, mãe tentando fazer que a filha não ecoe seus erros. Ao mesmo tempo, tudo isso são os papéis encargados pelo senso de dever.

Vemos pouco de dinâmicas femininas — todas as mulheres da história parecem terminar tristes, mortas ou os dois. Muitas das relações centrais são construídas entre homens e mulheres e aqui talvez se revele a fresta pela qual Balzac entendia o mundo feminino, que é uma fresta um tanto tendenciosa.

Não é, no entanto, um livro *para* mulheres. Quando reduzimos um livro sobre mulheres a um público feminino, estamos criando um oposto. Quantas mulheres leram questões existenciais masculinas em Tolstói ou Dostoiévski? Temas sobre vidas de mulheres são universais. O embate entre o que é regulamentado pela sociedade mas permitido/ desejado pelo indivíduo é um embate universal.

Balzac salta no tempo neste livro. Ao final de cada capítulo, coloca-nos em outro momento histórico. Estamos em movimento, estamos em carruagens, navios. Com maestria, Balzac nos faz entender alterações no meio-tempo, devagar, pouco a pouco, e também o senso de "de repente", de mudança brusca. Júlia tem dois filhos, mas tem quatro, mas um não vive mais, mas, mas. *A mulher de trinta anos* não é estático.

Esta me parece uma compreensão acertada do autor do que é ser mulher, talvez não propositalmente. É algo que vemos no próprio título: *A mulher de trinta anos*. Há já aí uma relação entre ser mulher e ser tempo. Como nos diz o narrador no início: "Porque os velhos se inclinavam geralmente para dotar com os seus pesares o futuro dos jovens."

Há um aspecto de realismo duro, de retrato social, pareado com um nível de entendimento daquilo que faz cada membro da sociedade único — sua vida interior. Como muitos dos sentimentos descritos esses dois universos andam contraditórios, mas não têm que ser. Os piratas não existem sem seu psicológico. *A mulher de trinta anos* é um livro que atravessa temas, assim como formatos, momentos históricos e pontos de vista. É uma viagem no tempo em entendermos problemas sociais balzaquianos e do século XXI. É entender por que certos termos (portanto, temas) seguem ecoando entre nós.

Luisa Geisler
Escritora

I
Primeiros erros

A MOÇA

No princípio do mês de abril de 1813, houve um domingo cuja manhã prometia um desses dias radiosos em que os parisienses veem, pela primeira vez no ano, as ruas sem lama e o céu sem nuvens. Pouco antes do meio-dia, uma carruagem puxada por dois fogosos cavalos desembocava na rua de Rivoli pela rua de Castiglione e parava por detrás de várias outras estacionadas junto da grade novamente aberta ao centro do terraço dos Feullants. A veloz carruagem era dirigida por um homem de aspecto preocupado e doentio; seus grisalhos cabelos mal lhe cobriam o crânio amarelado e tornavam-no velho antes do tempo. Ele entregou as rédeas ao lacaio que, a cavalo, seguia a carruagem e desceu para tomar nos braços uma jovem cuja beleza atraiu a atenção dos ociosos que passeavam no terraço. A gentil donzela, pondo-se de pé, deixou-se complacentemente agarrar pela cintura e passou os braços em volta do pescoço do seu guia, que a depôs no passeio sem ter amarrotado a guarnição do seu vestido de reps verde. Um amante não teria tido tanto cuidado. O desconhecido devia ser o pai dessa criança, que, sem lhe agradecer, travou-lhe familiarmente o braço e arrastou-o para o jardim. O velho pai notou os olhares maravilhados de alguns rapazes e a tristeza de seu rosto desapareceu por um momento. Embora tivesse ele passado havia muito a idade em que os homens devem contentar-se com os enganadores prazeres que produz a vaidade, sorriu.

— Pensam que és minha mulher — disse ao ouvido da jovem, endireitando-se e caminhando com um vagar que a desesperou.

Parecia mais envaidecido do que a própria filha e gozava, talvez, mais do que ela os olhares que os curiosos lançavam aos seus pezinhos bem calçados, à deliciosa cintura desenhada por um corpinho de rendas e ao pescoço fresco que um cabeção bordado não ocultava por completo. Os movimentos do andar erguiam por instantes a saia da jovem e deixavam ver a forma duma perna finamente modelada por uma meia de seda aberta.

Por isso, mais de um transeunte passou diante do par, a fim de admirar ou tornar a ver o rosto juvenil emoldurado por finos cabelos castanhos, e cuja cor branca e rosada era realçada tanto pelos reflexos do cetim encarnado de seu elegante chapéu como pelo desejo e impaciência, que transpareciam no semblante dessa encantadora criatura. Uma doce malícia animava seus belos olhos negros e amendoados, de sobrancelhas bem arqueadas e compridas pestanas. A vida e a mocidade ostentavam os seus tesouros naquele rosto malicioso e naquele gracioso busto, então em moda ainda, não obstante a cintura curta. Insensível às homenagens, a donzela olhava com uma espécie de ansiedade para o palácio das Tulherias, a meta, sem dúvida, do seu alvoroçado passeio.

Eram quinze para meio-dia. Apesar da hora matutina, algumas senhoras, que tinham querido se mostrar em lindas *toilettes*, voltavam do palácio, não sem lhe dirigirem olhar aborrecido, como se estivessem arrependidas de haver chegado demasiado tarde para gozar um espetáculo desejado. Algumas palavras que haviam escapado ao mau humor dessas formosas passeantes desapontadas, e que a jovem desconhecida tinha ouvido, a inquietaram sobremodo. O ancião observava com um olhar mais curioso do que zombeteiro os sinais de impaciência e receio que se refletiam no gracioso rosto da sua companheira, e fazia-o talvez com demasiado cuidado para não lhe notar qualquer outro pensamento paternal.

Esse domingo era o décimo terceiro do ano de 1813. Dois dias depois, partiria Napoleão para essa fatal campanha durante a qual ia perder sucessivamente Bessières e Duroc; ganhar as memoráveis batalhas de Lutzen e de Bautzen; ver-se traído pela Áustria, Saxe, pela Baviera, por Bernardotte; e disputar a terrível batalha de Leipzig. A magnífica parada comandada pelo imperador devia ser a última daquelas que excitaram por tanto tempo a admiração dos parisienses e dos estrangeiros. A velha guarda ia executar pela última vez as sábias manobras cuja pompa e precisão maravilharam algumas vezes até esse mesmo gigante, que se preparava então para o seu duelo com a Europa. Um sentimento triste levava às Tulherias uma população brilhante e curiosa. Dir-se-ia que todos adivinhavam o futuro e pressentiam talvez que mais uma vez a imaginação teria de retraçar o quadro dessa cena, quando esses tempos heroicos da França contraíssem, como hoje, cores quase fabulosas.

— Vamos mais depressa, meu pai! — dizia a moça com ar travesso arrastando o velho. — Já ouço os tambores.

— São as tropas que entram nas Tulherias — respondeu o ancião.

— Ou que desfilam... Vejo todo mundo voltar! — replicou a jovem com uma tal amargura que fez sorrir o pai.

— A parada só começa depois do meio-dia — disse o velho, que quase corria atrás da filha impaciente.

Vendo-se o movimento que ela imprimia ao braço direito, dir-se-ia que assim acelerava o passo. A sua mãozinha, bem enluvada, amarrotava impacientemente um lenço e semelhava-se ao remo dum barco que fende as ondas. O ancião sorria por momentos, mas de vez em quando uma certa preocupação entristecia-lhe o rosto magro. O seu amor por aquela encantadora criatura tanto lhe fazia admirar o presente como temer o futuro. Parecia dizer intimamente: "É feliz hoje: sê-lo-á sempre?" Porque os velhos se inclinavam geralmente para dotar com os seus pesares o futuro dos jovens.

Quando o pai e a filha chegaram ao peristilo do pavilhão em cujo topo flutuava a bandeira tricolor, e por onde passeantes seguem do jardim das Tulherias para o Carroussel, os guardas gritaram-lhes:

— Já não se pode mais entrar!

A jovem pôs-se na ponta dos pés e pôde ver uma porção de damas com lindas *toilettes* que formavam alas por onde devia passar o imperador.

— Bem vês, meu pai, viemos muito tarde!

A expressão de tristeza que se lia no seu rosto traía a importância que lhe merecia assistir àquela revista.

— O melhor, Júlia, é irmos embora, tu não quererás decerto ser pisada.

— Fiquemos, meu pai. Daqui, eu ainda posso ver o imperador; se ele tivesse morrido durante a campanha, nunca o teria visto.

O pai estremeceu ouvindo estas palavras egoístas. A filha tinha lágrimas na voz; ele fitou-a e julgou notar sob as pálpebras baixas algumas lágrimas causadas menos pelo despeito do que por um desses primeiros desgostos cujo segredo é fácil a um velho pai adivinhar. De súbito, corou e soltou uma exclamação cujo sentido não foi compreendido nem pelas sentinelas, nem pelo ancião. A esse grito, um oficial que ia do pátio para a escada voltou-se vivamente, avançando até a arcada do jardim, reconheceu a jovem, um momento oculta pelos grandes bonés de pelo dos granadeiros, e revogou imediatamente, para ela e para o pai, a ordem que ele próprio dera. Depois, sem dar a mínima importância aos murmúrios da elegante multidão que enchia a arcada, atraiu docemente a si a encantadora mocinha.

— Já não me admiro da cólera nem da impaciência de Júlia, visto estares de serviço — disse o ancião ao oficial num tom entre sério e zombeteiro.

— Senhor duque — tornou o mancebo —, se desejam ficar bem colocados, não nos divirtamos em conversar. O imperador não gosta de esperar, e eu fui encarregado pelo marechal de dar o aviso.

Enquanto falava, tomava, com certa familiaridade, o braço de Júlia e levava-a rapidamente para o Carroussel. Notou com espanto uma multidão enorme que se comprimia no pequeno espaço entre as paredes cinzentas do palácio e os marcos unidos por cadeias que cercam grandes quadrados areados no meio do pátio das Tulherias. O cordão de sentinelas, formado para deixar uma passagem livre ao imperador e ao seu Estado-maior, só a muito custo continha a massa impaciente e ruidosa como uma colmeia.

— Será mesmo uma maravilha? — perguntou Júlia sorrindo.

— Cuidado! — exclamou o oficial, que agarrou Júlia pela cintura e, erguendo-a tanto com força quanto com rapidez, levou-a para junto duma coluna.

Sem este brusco movimento, a sua irrequieta parente seria pisada pelo cavalo branco, ajaezado com uma sela de veludo verde e ouro, que o mameluco de Napoleão segurava pela rédea, quase sob a arcada, a dez passos atrás de todos os cavalos que esperavam os oficiais superiores, companheiros do imperador. O jovem colocou o pai e a filha perto do primeiro marco da direita, à frente da multidão, e, por um sinal de cabeça, recomendou-os aos dois velhos granadeiros entre os quais se achavam.

Quando o oficial voltou ao palácio, a felicidade e a alegria transpareciam no seu rosto, alterado um momento pelo susto do perigo que Júlia correra. Esta tinha-lhe apertado a mão misteriosamente, fosse para lhe agradecer a proteção que acabava de lhe prestar, fosse para lhe dizer: "Enfim, vou vê-lo!" Inclinou até meigamente a cabeça em resposta à saudação respeitosa que, assim como ao pai, lhe fez o oficial antes de desaparecer com presteza. O ancião, que parecia ter deixado de propósito os dois jovens juntos, permanecia numa atitude pensativa, um pouco atrás da filha; observava-a, porém, de soslaio e tentava inspirar-lhe uma falsa segurança, mostrando-se absorto na contemplação do esplêndido espetáculo que oferecia o Carroussel. Quando Júlia dirigiu ao pai o olhar dum discípulo com receio do mestre, o velho respondeu-lhe até com um sorriso de benevolente alegria, mas o seu olhar perscrutador seguira o oficial até a arcada e não perdera um gesto sequer daquela cena rápida.

— Que belo espetáculo! — disse Júlia em voz baixa, apertando a mão do pai.

O aspecto pitoresco e grandioso que apresentava neste momento o Carroussel fazia com que esta exclamação fosse repetida por milhares de espectadores em cujos rostos se estampava a mais viva admiração. Uma outra ala de povo, tão compacta como aquela em que se achavam o ancião e sua filha, ocupava, numa linha paralela ao palácio, o estreito espaço calçado que fica ao longo da grade do Carroussel. Essa multidão acabava de desenhar nitidamente, pela variedade das *toilettes* das senhoras, o imenso quadrilátero que formam as construções das Tulherias e a grade que fora então posta de novo.

Os regimentos da velha guarda que iam ser passados em revista enchiam esse vasto terreno, onde formavam em frente ao palácio imponentes linhas azuis de dez filas de fundo. Um pouco mais longe do recinto, e no Carroussel, achavam-se, também em linhas paralelas, vários regimentos de infantaria e cavalaria, prontos a desfilarem sob o arco triunfal que orna o centro da grade e no topo do qual se viam, então, os magníficos cavalos de Veneza. A música dos regimentos, colocada sob as galerias do Louvre, estava escondida pelos lanceiros polacos de serviço. Uma grande parte do quadrado coberto de areia se achava vazio como uma arena preparada para os movimentos desses corpos silenciosos, cujas massas, dispostas com a simetria da arte militar, refletiam os raios do sol nos fogos triangulares de dez mil baionetas. A brisa, agitando os penachos dos soldados, fazia-os ondear como as árvores duma floresta curvada sob um vento impetuoso. Esses velhos bandos, mudos e brilhantes, ofereciam mil contrastes de cores, devidos à diversidade dos uniformes, das armas, das divisas e das agulhetas. Esse quadro imenso, miniatura dum campo de batalha antes do combate, achava-se poeticamente emoldurado, com todos os seus acessórios e acidentes bizarros, pelas altas edificações majestosas, cuja imobilidade parecia imitada pelos chefes e soldados. O espectador involuntariamente comparava esses muros de homens aos muros de pedra.

O sol da primavera que lançava profusamente a sua luz sobre os muros brancos, construídos na véspera e sobre os muros seculares, iluminava plenamente aqueles inúmeros rostos crestados, que atestavam os perigos passados e aguardavam gravemente os perigos futuros. Os coronéis de cada regimento passavam de momento a momento à frente desses homens heroicos. Por trás das colunas cerradas dessas tropas matizadas de prata, de azul, de púrpura e de ouro, os curiosos podiam ver as bandeirolas tricolores presas nas lanças de seis infatigáveis cavaleiros polacos, que, semelhantes aos cães conduzindo um rebanho por um campo, voltejavam incessantemente entre as tropas e os curiosos, a fim de impedir que estes invadissem o pequeno espaço de terreno que lhes era concedido junto da grade imperial. Todos aqueles movimentos levavam a crer que se estava no palácio da Bela Adormecida. A brisa, agitando o pelo dos bonés dos granadeiros, atestava a imobilidade dos soldados, assim como o surdo murmúrio da multidão acusava o seu silêncio. De raro em raro, o ruído dum instrumento, um leve toque dado por inadvertência num tambor e repetido pelos ecos do palácio imperial, semelhava-se aos trovões ainda longínquos que anunciam a tempestade.

Aquela multidão à espera continha um entusiasmo indescritível. A França ia apresentar as suas despedidas a Napoleão, na véspera duma campanha cujos perigos eram previstos pelo último dos cidadãos. Tratava-se, dessa vez, para o império francês, de ser ou não ser. Este pensamento parecia animar a multidão civil e a militar que se apinhava, igualmente silenciosa, no recinto onde pairavam a águia e o gênio de Napoleão. Esses soldados, esperança da França, esses soldados, a sua última gota de sangue, entravam também muito na inquieta curiosidade dos espectadores. Entre a maior parte dos assistentes e dos militares, dizia-se um adeus que seria talvez eterno; todos os corações, porém, mesmo os mais hostis ao imperador, dirigiam ardentes votos ao céu pela glória da pátria. Mesmo os homens mais cansados da luta travada entre a Europa e a França haviam todos deposto os seus ódios ao passar sob o arco do Triunfo, compreendendo que, no dia de perigo, Napoleão era toda a França. O relógio do palácio deu meia hora. Nesse momento cessou o rumor da multidão e o silêncio se tornou tão profundo que se poderia ouvir a voz de uma criança. O ancião e sua filha, que pareciam viver pelos olhos, distinguiram, então, um ruído de esporas e um tinir de espadas que ressoaram sob o sonoro peristilo do palácio.

Um homem baixo, bastante gordo, de uniforme verde, calções brancos e botas altas apareceu de súbito, tendo na cabeça um chapéu de três bicos tão prestigiado como a sua própria pessoa. Flutuava--lhe no peito a larga fita vermelha da Legião de Honra e da cintura pendia-lhe uma espada curta. O homem foi visto por todos e, ao mesmo tempo, de todos os pontos da praça. No mesmo instante rufaram os tambores, as duas orquestras começaram por uma frase cuja expressão guerreira foi repetida por todos os instrumentos, desde a flauta mais suave até o maior dos tambores. A este belicoso apelo as almas estremeceram, as bandeiras saudaram, os soldados apresentaram armas por um movimento unânime e regular que agitou as espingardas desde a primeira à última fila do Carroussel. As vozes de comando repetiram-se de fila em fila como um eco. Gritos de "Viva o imperador!" foram proferidos pela multidão entusiasmada. Enfim tudo estremeceu, tudo se moveu. Napoleão montara a cavalo. Esse movimento dera vida a essas massas silenciosas, voz aos instrumentos, voo às águias e às bandeiras, comoção a todos os rostos. As paredes das altas galerias daquele velho palácio pareciam gritar também: "Viva o imperador!" Não foi algo de humano, foi uma magia, um simulacro do poder divino, ou melhor, uma fugitiva imagem desse fugitivo reino. O homem cercado de tanto amor, dedicação, entusiasmo, votos, para quem o sol dispersara as nuvens do céu, permaneceu no seu cavalo, três passos à frente do pequeno esquadrão dourado que o seguia, tendo o grande marechal à sua esquerda e, à direita, o marechal de serviço. No meio de tantas emoções despertadas por ele, nenhum traço do seu rosto parecia alterado.

— Ah! Sim. Em Wagram, no meio do fogo, em Moscou entre os mortos, ele sempre conservou a mesma tranquilidade!

Esta resposta a inúmeras interrogações era dada pelo granadeiro, que se achava ao lado da jovem Júlia. Ela se conservou durante um momento absorta na contemplação daquele rosto cuja serenidade indicava uma tamanha segurança no poder. O imperador avistou a senhorita de Chatillonest e inclinou-se para Duroc dizendo-lhe uma curta frase que fez sorrir o grande marechal. As manobras começaram. Se até então a mocinha partilhara a sua atenção entre o rosto impassível do imperador e as linhas azuis, verdes e encarnadas das tropas, nesse momento ocupou-se quase exclusivamente, no meio dos movimentos rápidos e regulares executados pelos velhos soldados, dum jovem oficial que corria a cavalo entre as linhas moventes e voltava com uma atividade infatigável para o grupo à frente do qual brilhava o simples Napoleão.

Este oficial montava um admirável cavalo negro e se distinguia, entre aquela luzidia multidão, pelo belo uniforme azul-celeste dos oficiais de ordenança do imperador. Os bordados da sua farda brilhavam tão vivamente ao sol, e o penacho da barretina, estreito e comprido, lançava tais reflexos, que os espectadores por certo o compararam a um fogo-fátuo, a uma alma visível encarregada pelo imperador de animar, de conduzir esses batalhões, cujas armas ondeantes faiscavam chamas, quando, a um sinal só dos seus olhos, se despedaçavam, se reuniam, se agitavam como as vagas dum sorvedouro, ou passavam pela sua frente como as lâminas longas, direitas e altas, que o oceano em cólera atira sobre as praias.

Terminadas as manobras, o oficial de ordenança, correndo a toda a brida, parou junto do imperador, para esperar as suas ordens. Nesse momento, achava-se ele a vinte passos de Júlia, em frente ao grupo imperial, numa atitude assaz parecida com a que Gérard deu ao general Rapp no quadro da *Batalha de Austerlitz*. Foi então permitido à mocinha admirar o seu bem-amado em todo o seu esplendor militar. O coronel Vitor d'Aiglemont, de apenas trinta anos, era alto, bem-feito, esbelto e os seus felizes dotes físicos eram principalmente dignos de admiração quando empregava a sua força em governar um cavalo cujo dorso elegante e ágil parecia vergar sob ele. O seu rosto másculo e trigueiro tinha este encanto inexplicável que uma perfeita regularidade de feições comunica a semblantes juvenis. A fronte era larga e alta. Os olhos de fogo, sombreados por espessas sobrancelhas e orlados de compridas pestanas, desenhavam-se como dois cavalos brancos entre duas linhas negras. O nariz oferecia a graciosa curva dum bico de águia. O vermelho dos lábios era realçado pelas sinuosidades do inevitável bigode preto. O seu rosto, um desses em que a bravura firmou o seu distintivo, oferecia o tipo que o artista hoje procura quando pensa em representar um dos heróis da França imperial.

O cavalo coberto de suor, cuja cabeça agitada exprimia uma extrema impaciência, com os dois pés dianteiros desviados e colocados numa mesma linha, agitava as longas crinas da sua bem-fornida cauda, e a sua dedicação oferecia uma imagem material da que o seu dono manifestava pelo imperador. Vendo o bem-amado tão ocupado a procurar os olhares de Napoleão, Júlia experimentou um sentimento de ciúme pensando que para ela não havia olhado. De súbito, o soberano pronuncia uma palavra. Vitor esporeia os flancos do cavalo e parte a galope, mas a sombra dum marco projetada na areia assusta o animal, que se espanta, recua e empina tão bruscamente que o cavaleiro parece estar em perigo. Júlia solta um grito, empalidece e todos a fitam com curiosidade, mas ela não vê ninguém; os seus olhos estão cravados no cavalo demasiado fogoso que o oficial castiga ao mesmo tempo que corre a transmitir as ordens de Napoleão. Essas imagens impressionantes absorviam Júlia de tal modo que, insensivelmente, se agarrava ao braço do pai, a quem revelava de maneira involuntária os próprios pensamentos pela pressão mais ou menos viva dos seus dedos. Quando Vitor escapava de ser derrubado do cavalo, a mocinha agarrou-se ainda mais violentamente ao pai, como se ela mesma estivesse em perigo de cair. O ancião contemplava com dolorosa e sombria inquietação o rosto da filha, e sentimentos de piedade, de ciúme e até de pesar deslizaram em todas as suas rugas contraídas. Mas, quando o brilho desusado dos olhos de Júlia, o grito que soltara e o movimento convulsivo dos seus dedos acabaram de lhe desvendar um amor secreto, por certo ele teve algumas tristes revelações do futuro, porque o seu rosto tomou, então, uma expressão sinistra. Nesse momento, a alma de Júlia parecia ter-se confundido com a do oficial. Um pensamento mais cruel que todos aqueles que haviam assustado o ancião crispou-lhe as feições do rosto doloroso quando viu d'Aiglemont trocar, ao passar na sua frente, um olhar de cumplicidade com Júlia, que tinha os olhos úmidos e estava vivamente corada. E bruscamente levou a filha para o jardim das Tulherias.

— Mas, meu pai — dizia ela —, ainda há na praça do Carroussel regimentos que vão manobrar.

— Não, minha filha, as tropas já estão desfilando.

— Parece-me que se engana, meu pai. O senhor d'Aiglemont deve tê-las mandado avançar...

— Mas, minha filha, sinto-me mal e não quero me demorar.

Júlia não teve dificuldade em acreditar no pai quando olhou para o seu rosto, cujas inquietações haviam alterado.

— Sofre muito, meu pai? — perguntou Júlia com indiferença, tão grande era a sua preocupação.

— Cada dia que passa não é para mim um favor? — respondeu o ancião.

— Vai ainda me afligir falando da sua morte? Estava tão alegre! Quer me fazer o favor de expulsar as suas tristes ideias sombrias?

— Ah! — exclamou o pai soltando um suspiro. — Criança cheia de mimo, os melhores corações são às vezes bem cruéis. Consagrar-te a nossa vida, não pensar senão em ti, preparar o teu bem-estar, sacrificar os nossos gostos às tuas fantasias, adorar-te, dando-te até o nosso sangue, tudo isto nada é? Infelizmente, assim o julgas, pois tudo aceitas com indiferença. Para obter sempre os teus sorrisos e o teu amor desdenhoso, seria mister ter o poder de Deus. Depois, chega um outro! Um amante, um marido que nos leva o teu coração.

Júlia, atônita, fitou o pai, que caminhava lentamente lançando-lhe turvos olhares.

— Ocultas-te até de nós — tornou o velho —, e talvez de ti mesma.

— Que diz, meu pai?

— Parece-me, Júlia, que tens segredos para mim. Tu amas — disse vivamente o ancião notando o rubor que subira ao rosto da filha. — Ah! Eu esperava ver-te fiel a teu velho pai até a morte, esperava conservar-te junto de mim feliz e radiante! Admirar-te como estavas ainda agora. Ignorando o teu destino, teria podido acreditar num futuro tranquilo para ti; mas, agora, é impossível levar uma esperança de felicidade na tua vida, porque amas ainda mais o coronel do que o primo. Já não posso ter dúvidas.

— E por que me havia de ser proibido amá-lo? — exclamou ela com uma viva expressão de curiosidade.

— Ah, minha Júlia, tu não me compreenderias — replicou o pai suspirando.

— Mas diga — tornou Júlia com um gesto de amuo.

— Pois bem, minha filha, escuta-me. As moças sonham muitas vezes com uns seres nobres e encantadores, criaturas perfeitamente ideais, e assim forjam umas quiméricas fantasias acerca dos homens, dos sentimentos e do mundo. Depois, elas atribuem inocentemente a um caráter as perfeições com que sonharam, e nele confiam; elas amam no homem da sua escolha esse ente imaginário. Mais tarde, porém, quando já não podem fugir à desgraça, a aparência enganadora que elas embelezaram, o seu primeiro ídolo, enfim, transforma-se num esqueleto odioso. Júlia, eu preferia que amasse um velho a ver-te amar o coronel. Ah, se pudesse adivinhar o que sucederá daqui a dez anos, farias justiça à minha experiência. Conheço Vitor: a sua alegria é sem espírito, alegria de caserna, não tem talento e é perdulário. É um desses homens que o céu criou para comer e digerir quatro refeições por dia, dormir, amar a primeira que lhe aparece e bater-se. Não compreende a vida. O seu coração, porque o tem, levá-lo-á talvez a dar a bolsa a um desgraçado, a um camarada, porém é um indiferente, e não tem essa delicadeza de coração que nos torna escravos da felicidade duma mulher. É também ignorante, egoísta... Tem muitos defeitos.

— Todavia, meu pai, ele necessariamente há de ter espírito e inteligência para chegar a ser coronel.

— Minha querida, Vitor permanecerá coronel toda a sua vida. Ainda não encontrei ninguém que fosse digno de ti — tornou o ancião com um certo entusiasmo.

Calou-se por um momento, contemplou a filha e acrescentou:

— Mas, minha pobre Júlia, és ainda muito nova, muito fraca, muito delicada para suportar desgostos e as responsabilidades do casamento. D'Aiglemont foi estragado com mimos pelos pais, assim como tu por tua mãe e por mim. Como esperar que se poderão entender ambos, com vontades diferentes cujas tiranias serão inconciliáveis? Serás ou vítima ou tirana. Qualquer dessas alternativas produz igual soma de desgostos na vida duma mulher. Porém és meiga e modesta, curvar-te-ás ao princípio. Enfim tu tens — continuou com a voz alterada — uma delicadeza de sentimentos que ficará desconhecida, e então...

Não acabou, as lágrimas lhe embargaram a voz.

— Vitor — tornou ele após uma pausa — há de ferir as singelas qualidades da tua alma juvenil. Eu conheço os militares, minha querida filha; vivi nos exércitos. É raro que o coração dessa gente possa triunfar dos hábitos produzidos ou pelas desgraças no seio das quais vivem, ou pelos azares da sua vida aventureira.

— Quer então, meu pai — replicou Júlia num tom meio sério, meio zombeteiro —, contariar os meus sentimentos, me casar a seu gosto, e não ao meu?

— Casar-te a meu gosto! — exclamou o pai com um gesto de surpresa. — Deixarás em breve de ouvir a minha voz tão amigavelmente zangada. Sempre reconheci que os filhos atribuem a um sentimento pessoal os sacrifícios que lhes impõem os pais! Casa com Vitor, minha Júlia. Um dia, deplorarás amargamente a sua nulidade, a sua falta de ordem, o seu egoísmo, a sua falta de delicadeza, a sua inépcia em amor e mil outros desgostos que sofrerás por sua causa. Então lembra-te que, sob estas árvores, a voz profética de teu velho pai ressoou em vão aos teus ouvidos!

O ancião calou-se. Tinha surpreendido a filha meneando a cabeça em ar de dúvida. Ambos se dirigiram para a grade onde a carruagem os esperava. Durante esse trajeto silencioso, a jovem examinou furtivamente o rosto do pai e pouco a pouco foi-se tornando séria. A profunda dor gravada na fronte inclinada do ancião causou-lhe vivíssima impressão.

— Prometo-lhe, meu pai — disse Júlia com uma voz meiga e alterada —, que não tornarei a falar de Vitor sem que veja destruídas as prevenções que nutre contra ele.

O velho fitou a filha com pasmo. Duas grossas lágrimas deslizaram-lhe ao longo das faces enrugadas. Não pôde beijar a filha à vista da multidão que os rodeava, porém apertou-lhe ternamente a mão. Subindo à carruagem, todos os pensamentos melancólicos haviam completamente esvanecido. A atitude um pouco triste de sua filha inquietava-o então muito mais que a alegria inocente cujo segredo escapara a Júlia durante a revista.

A MULHER

Nos primeiros dias do mês de março de 1814, pouco menos dum ano depois dessa revista do imperador, uma caleche rodava pela estrada de Amboise a Tours. Ao deixar a abóbada verde de nogueiras sob as quais se ocultava a posta de Frillière, o carro seguiu com tal rapidez que depressa chegou à ponte construída sobre o Cise, na embocadura desse rio com o Loire, e parou. Acabava de se quebrar um tirante, devido ao impetuoso movimento que o cocheiro imprimira aos quatro possantes cavalos, em virtude duma ordem que recebera de seu patrão. Assim, por um efeito do acaso, as duas pessoas que se achavam na caleche tiveram ocasião de contemplar, ao despertar, um dos mais belos recantos que apresentam as sedutoras margens do Loire.

À direita, o viajante abrange com um olhar todas as sinuosidades do Cise, que se arrasta, como uma serpente prateada, pela erva dos prados aos quais os primeiros rebentos da primavera davam então as cores da esmeralda.

À esquerda, surge o Loire em toda a sua magnificência. Os raios do sol cintilavam sobre aquela vasta extensão d'água, onde, a cada passo, se sucediam ilhas verdejantes, como pedras engastadas de um colar. Do lado oposto do rio, os mais lindos campos da Touraine desenrolam os seus tesouros numa extensão imensa. Ao longe, o olhar só encontra como limites as colinas do Cher, cujos cimos desenhavam naquele momento luminosas linhas sobre o transparente azul do céu. Através da tênue folhagem das ilhas ao fundo do quadro, Tours parece, como Veneza, emergir do seio das águas. Os campanários da sua velha catedral elevavam-se nos ares, onde se confundiam, então, com as criações fantásticas de algumas nuvens esbranquiçadas.

Além da ponte sobre a qual parara o veículo, o viajante descobre na sua frente, ao longo do Loire até Tours, uma cadeia de rochedos que, por uma fantasia da natureza, parece ter sido colocada para servir de dique ao rio, cujas vagas minam incessantemente a pedra, espetáculo que maravilha sempre o viajante. A aldeia de Vouvray acha-se como que enterrada nos desfiladeiros desses rochedos, que começam a formar um cotovelo em frente à ponte do Cise. De

Vouvray até Tours, as medonhas anfractuosidades dessa colina são habitadas por uma população de vinhateiros. Em mais dum local existem casas com três andares, abertas na rocha e reunidas por perigosas escadas talhadas na própria pedra. Por cima dum telhado, uma moça de saia encarnada corria ao seu jardim. O fumo duma chaminé se elevava entre as cepas e as parras nascentes duma vinha. Viam-se homens cavando campos perpendiculares. Uma velha, tranquilamente sentada sobre um pedaço de rochedo, fiava à sombra duma amendoeira e via passar os viajantes a seus pés, sorrindo do seu susto; tanto cuidado lhe davam as fendas do solo como a ruína pendente dum velho muro, cuja base apenas estava segura pelas tortuosas raízes duma espessa trepadeira de hera. O martelo dos tanoeiros fazia ressoar as abóbadas das cavernas aéreas. Enfim, via-se a terra por toda a parte cultivada e fecunda, até mesmo onde a natureza recusou auxílio à indústria humana.

Nada é comparável, nas margens do Loire, ao admirável panorama que a Touraine apresenta ao viajante.

O tríplice quadro dessa cena, cujos aspectos são apenas esboçados, oferece à alma um desses espetáculos, que ela inscreve para sempre na sua recordação; e, quando um poeta o desfruta, evoca-o muitas vezes em sonhos para reconstruir os seus fabulosos efeitos românticos.

No momento em que a caleche chegou à ponte do Cise, surgiram algumas velas brancas entre as ilhas do Loire, dando assim nova harmonia àquele aprazível lugar. O suave odor dos salgueiros, que orlam o rio, misturava os seus perfumes penetrantes aos da brisa úmida. Os pássaros faziam ouvir os seus prolixos concertos; o canto monótono dum guardador de cabras juntava-lhes um tanto da sua melancolia, enquanto os gritos dos marinheiros anunciavam uma agitação distante. Era a Touraine em toda a sua glória, a primavera em todo o seu esplendor.

Essa parte da França, a única que os exercícios estrangeiros não deviam perturbar, era nesse momento a única que se achava tranquila: dir-se-ia que ela desafiava a invasão.

Uma cabeça coberta por um gorro de quartel apareceu à portinhola da caleche assim que esta parou; em seguida, um impaciente militar saltou para a estrada disposto a invectivar o cocheiro. A perícia com que esse nativo de Tours consertava o tirante partido tranquilizou o coronel conde d'Aiglemont, que voltou para junto da caleche, estendendo os braços como para esticar os músculos adormecidos; bocejou, admirou a paisagem e tocou no braço duma jovem cuidadosamente embrulhada numa capa forrada de peles.

— Acorda, querida — disse o militar com a voz um tanto rouca —, olha essa terra. É magnífica!

Júlia pôs a cabeça fora da caleche. Um capuz forrado de pele de marta cobria-lhe a cabeça, e as pregas da capa em que se envolvia ocultavam-lhe tão bem as formas que apenas se lhe via o rosto. Júlia d'Aiglemont não se parecia já com a jovem que não havia muito corria alegre e feliz à revista das Tulherias. O rosto, sempre delicado, havia perdido as cores rosadas e frescas. Os cabelos negros, um pouco desfrisados pela umidade da noite, faziam sobressair a brancura mate da tez cuja vivacidade parecia adormecida. Todavia, seus olhos tinham um brilho sobrenatural, porém estavam pisados, e notava-se-lhe no rosto uma grande fadiga. Examinou Júlia com olhar indiferente os campos do Cher, o Loire e as suas ilhas, Tours e os altos rochedos de Vouvray; depois, sem querer olhar para o vale encantador do Cise, recolheu-se ao fundo da caleche e disse num tom de voz que acusava extrema fraqueza:

— Sim, é admirável.

Ela tinha, como se vê, para a sua desgraça, triunfado do pai.

— Não gostarias de viver aqui, Júlia?

— Oh! Aqui ou alhures — disse com indiferença.

— Sentes alguma coisa? — perguntou-lhe o coronel d'Aiglemont.

— Absolutamente nada — respondeu ela com uma momentânea vivacidade.

Contemplou o marido, sorrindo, e acrescentou:

— Sinto vontade de dormir.

Ouviu-se de repente o galope dum cavalo. Vitor d'Aiglemont largou a mão da esposa e voltou a cabeça para o cotovelo que a estrada forma naquele lugar. No momento em que Júlia deixou de ser vista pelo coronel, a expressão de alegria que ele quisera dar ao rosto pálido desapareceu por completo. Não experimentando nem o desejo de tornar a ver a paisagem, nem a curiosidade de saber quem era o cavaleiro que galopava com tal ímpeto, voltou a se encostar ao canto da caleche, e seus olhos fixaram-se sem curiosidade na garupa dos cavalos. Tinha um ar tão estúpido como pode ser o dum camponês bretão ouvindo o sermão do seu vigário.

Um mancebo, montando um cavalo de preço, surgiu de repente dum pequeno bosque de choupos e de espinheiro em flor.

— É um inglês — disse o coronel.

— Com efeito, meu general — replicou o cocheiro. — É da raça daqueles que querem comer a França, segundo dizem por aí.

O desconhecido era um desses viajantes que se encontravam no continente quando Napoleão mandou prender todos os ingleses, como represália ao atentado cometido contra o direito das gentes pelo ministério de Saint-James, na ocasião da ruptura, do tratado de Amiens. Submetidos ao capricho do poder imperial, nem todos esses prisioneiros ficaram nas residências onde tinham sido encontrados, nem naquelas que tiveram primeiro a liberdade de escolher. A maior parte dos que habitavam então a Touraine havia sido para aí transferida de diversos pontos do império, onde a sua permanência parecera comprometer os interesses da polícia continental. O jovem prisioneiro, que passeava naquele momento o seu tédio matinal, era uma vítima do poder burocrático. Havia dois anos que uma ordem partida do Ministério das Relações Exteriores o arrancara do clima de Montpellier, onde procurava se curar de uma doença de peito, quando a ruptura da paz o surpreendera. Logo que o mancebo reconheceu um militar na pessoa do conde d'Aiglemont, apressou-se a evitar-lhe os olhares voltando assaz bruscamente a cabeça para os prados do Cise.

— Todos estes ingleses são insolentes como se o mundo lhes pertencesse — murmurou o coronel. — Felizmente que Soult vai lhes dar o merecido castigo.

Quando o prisioneiro passou em frente à caleche, volveu a um olhar; não obstante ser rápido, pôde admirar a expressão de melancolia que dava um encanto indefinível ao rosto pensativo da condessa. Há muitos homens cujo coração se comove poderosamente pela simples aparência de sofrimento numa mulher; para eles, a tristeza parece ser uma promessa de constância ou de amor. Inteiramente abismada na contemplação duma almofada da caleche, Júlia não prestou atenção nem ao cavalo, nem ao cavaleiro. O tirante fora rapidamente consertado com toda a solidez. O conde subiu para o veículo. O cocheiro tratou de recuperar o tempo perdido e conduziu com rapidez os dois viajantes por um caminho que segue ao longo dos rochedos, no seio dos quais amadurecem os vinhos de Vouvray e de onde se erguem pequenos e grotescos casais. Veem-se ao longe as ruínas dessa tão célebre abadia de Marmoutiers, retiro de São Martinho.

— O que quererá de nós esse diáfano milorde? — exclamou o coronel, voltando a cabeça, a fim de se assegurar que o cavaleiro, que desde a ponta do Cise seguia a caleche, era o jovem inglês.

Como o desconhecido não cometia a menor inconveniência pela qual pudesse ser censurado, o coronel contentava-se em lançar-lhe um olhar ameaçador, mas não pôde, apesar da sua involuntária inimizade, impedir de notar a beleza do cavalo e o garbo do cavaleiro.

O rapaz tinha um desses rostos britânicos cuja cor é tão suave, a pele tão fina e branca, que se é, por vezes, tentado a supor que pertencem ao corpo delicado duma donzela. Era louro, alto e magro. Notava-se no seu traje esse requinte de cuidado e de asseio que distingue os elegantes da grave Inglaterra. Dir-se-ia que ele corava mais de pudor do que de prazer ao aspecto da condessa. Uma vez apenas Júlia ergueu os olhos para o estrangeiro, mas foi por assim dizer obrigada pelo marido, que queria que ela admirasse as pernas dum cavalo de raça pura.

Os olhos de Júlia encontraram, nesse momento, os do tímido inglês. A partir desse momento, o cavaleiro, em vez de seguir ao lado da caleche, caminhava a alguns passos de distância. A condessa mal olhou para o desconhecido. Não notou nenhuma das perfeições que lhe eram atribuídas e encostou-se de novo na caleche depois de ter feito um leve movimento de pálpebras aprovando o marido.

O coronel adormeceu de novo, e os dois esposos chegaram a Tours sem terem trocado uma só palavra e sem que o panorama encantador, sempre renovado, atraísse uma só vez o olhar de Júlia. Enquanto o marido dormitava, a senhora d'Aiglemont contemplou-o várias vezes. Numa delas, um solavanco fez cair-lhe sobre o regaço uma medalha que usava, suspensa ao pescoço por um cordão de luto, e apareceu-lhe de súbito o retrato do pai; e as lágrimas, até ali contidas, correram-lhe pelas faces.

O inglês viu talvez os traços úmidos e brilhantes que o pranto deixou por um momento no rosto pálido da condessa, mas que o ar prontamente secou.

Encarregado pelo imperador de transmitir as suas ordens ao marechal Soult, que devia defender a França da invasão dos ingleses no Béarn, o coronel d'Aiglemont aproveitava aquela missão para subtrair a mulher aos perigos que então ameaçavam Paris e conduzia-a a Tours para casa duma velha parenta. Depressa, a carruagem passou a ponte, a Grande-Rua, e parou em frente ao antigo palácio onde residia a marquesa de Listomère-Landou.

A marquesa era uma dessas bonitas velhas de tez pálida, cabelos brancos, que têm um sorriso fino e se vestem e penteiam seguindo a moda desconhecida. Retratos setuagenários do século de Luís XV, essas mulheres são quase sempre carinhosas e meigas, como se elas ainda amassem; menos piedosas do que devotas e ainda menos devotas do que parecem; bastante perfumadas, contando bem, conversando melhor e rindo mais de uma recordação do que de um gracejo. O modernismo desagrada-lhes.

Quando uma idosa criada de quarto anunciou à marquesa (pois cedo reaveria o seu título) a visita dum sobrinho que não via desde o começo da guerra da Espanha, ela tirou depressa os óculos, fechou a *Galeria da Antiga Corte*, seu livro favorito, depois encontrou uma certa agilidade para chegar à escadaria no momento em que os dois esposos subiam os degraus.

A tia e a sobrinha lançaram uma à outra um rápido olhar.

— Bons dias, minha querida tia! — exclamou o coronel, abraçando com precipitação a marquesa. — Trago-lhe uma jovem para guardar. Venho-lhe confiar o meu tesouro. A minha Júlia não é vaidosa nem ciumenta; tem a doçura dum anjo... Mas espero que não se estrague aqui...

— Atrevido! — respondeu a condessa lançando-lhe um olhar brincalhão.

Foi a primeira a beijar Júlia, que permanecia pensativa e parecia mais embaraçada do que curiosa.

— Vamos pois travar conhecimento, minha queridinha? — disse a condessa. — Não se assuste muito comigo, sempre que me encontro com gente nova procuro não ser velha.

Antes de entrar no salão, a marquesa, segundo o hábito da província, tinha já dado ordens para o almoço dos seus dois hóspedes, porém o conde susteve a eloquência da tia, dizendo-lhe muito seriamente que só podia lhe consagrar o tempo que o postilhão levaria para fazer a muda. Portanto, dirigiram-se imediatamente à sala de jantar, e o coronel teve apenas o tempo preciso para narrar à velha condessa os acontecimentos políticos e militares que o obrigavam a pedir-lhe asilo para sua jovem esposa.

Entrementes, a tia olhava alternativamente para o sobrinho, que falava sem ser interrompido, e para a sobrinha, cuja palidez e tristeza lhe pareceram causadas por aquela separação forçada, e dizia intimamente: "Ah! Estes amam-se de verdade."

Nesse momento ressoou no velho pátio silencioso o estalido do chicote. Vitor abraçou a marquesa e dirigiu-se para a escada.

— Adeus, minha querida — dizia ele beijando a mulher, que o segurou até o pátio.

— Oh! Vitor, deixa-me te acompanhar um pouco mais longe — pedia Júlia, carinhosa —, não queria deixar-te...

— Pois pensaste em tal?

— Então, adeus — replicou Júlia —, visto que assim o queres.

O carro desapareceu.

— Ama muito o meu pobre Vitor? — perguntou a marquesa à sobrinha, interrogando-a com um desses olhares perscrutadores que as velhas lançam às jovens.

— Ai! Minha senhora — respondeu Júlia —, não é preciso amar um homem para desposá-lo?

Esta última frase foi acentuada por um tom de ingenuidade que traía ao mesmo tempo um coração puro ou mistérios profundos. Ora, seria bem difícil a uma mulher, amiga de Duclos e do marechal de Richelieu, não procurar adivinhar o segredo daquele casal. A tia e a sobrinha se achavam ainda junto do portão, entretidas a ver a caleche que se afastava. Os olhos da condessa não exprimiam o amor como a marquesa compreendia. A boa senhora era uma provençal e suas paixões tinham sido violentas.

— Deixou-se, então, fascinar pelo patife de meu sobrinho? — perguntou ela à sobrinha.

A condessa estremeceu involuntariamente, porque o tom e o olhar da velha senhora pareciam-lhe anunciar um profundo conhecimento do caráter de Vitor. A senhora d'Aiglemont, inquieta, mostrou uma dissimulação maldisfarçada, primeiro refúgio dos corações ingênuos e sofredores. A senhora de Listomère contentou-se com as respostas de Júlia, mas pensou com prazer que a sua solidão ia ser distraída por alguma intriga amorosa que a divertiria.

Quando a condessa d'Aiglemont se achou num grande salão, forrado de tapeçarias emolduradas por frisos dourados, sentada em frente dum bom fogo, abrigada da corrente de ar por um biombo chinês, a sua tristeza não conseguira dissipar-se. Era difícil poder nascer a alegria entre decorações antigas e móveis seculares. Contudo, a jovem parisiense sentiu um certo prazer naquela profunda solidão e no silêncio da província. Depois de ter trocado algumas palavras com aquela tia, a quem escrevera apenas uma carta logo após o casamento, quedou silenciosa como se estivesse ouvindo uma ópera. Foi só passadas duas horas dum sossego digno da Trappa que Júlia notou a sua descortesia para com a tia; lembrou-se que só lhe havia dirigido respostas frias e indiferentes. A velha senhora tinha respeitado o capricho da sua sobrinha com esse instinto cheio de graça, que caracteriza a gente doutro tempo. Nesse momento, a velha marquesa fazia meia. Tinha-se ausentado com efeito, por diversas vezes, para se ocupar dum certo quarto verde onde a condessa devia instalar-se e onde os criados da casa colocam a bagagem, mas voltara depois para o seu lugar numa grande poltrona e olhava de soslaio para a jovem sobrinha. Envergonhada por se ter abandonado à sua irresistível meditação, Júlia tentou fazer-se perdoar zombando de si mesma.

— Minha querida filha, nós avaliamos bem o desgosto das viúvas — respondeu a tia.

Seria mister ter quarenta anos para adivinhar a ironia que exprimiam os lábios da velha senhora. No dia seguinte, a condessa se achava em melhores disposições; conversou. A senhora Listomère não desesperou de tornar mais sociável aquela esposa novata, que primeiro considerara uma selvagem e estúpida; falou-lhe sobre as belezas da região, dos bailes e das casas que podiam frequentar. Todas as perguntas da marquesa foram, durante esse dia, outras tantas ciladas que ela, por um antigo hábito, não pôde deixar de fazer à sobrinha a fim de lhe adivinhar o caráter. Júlia resistiu durante alguns dias a todos os pedidos que lhe fez a tia para procurar distrações fora de casa. De sorte que, não obstante o desejo que tinha a velha senhora de mostrar orgulhosamente a sua linda sobrinha, acabou por renunciar a apresentá-la na sociedade. A condessa achara um pretexto para a sua solidão e tristeza no desgosto que lhe causara a morte do pai, por quem estava de luto.

Passados oito dias, a velha senhora encheu-se de admiração pela doçura angélica, a graça modesta, o espírito indulgente de Júlia e se interessou desde então profundamente pela misteriosa melancolia que consumia aquele coração. A condessa era uma dessas mulheres que nasceram para ser amáveis e que parecem trazer a felicidade consigo. A sua companhia tornou-se tão agradável e preciosa à senhora de Listomère, que se apaixonou pela sobrinha, e o seu maior desejo era não deixá-la nunca. Um mês bastou para estabelecer entre as duas uma amizade eterna. A velha marquesa notou, não sem surpresa, as mudanças que se operaram na fisionomia da senhora d'Aiglemont. As cores vivas que lhe abrasavam o rosto desvaneceram-se insensivelmente; tornou-se em extremo pálida, e ao mesmo tempo parecia menos triste. Por vezes, a boa senhora despertava na sua jovem parenta ímpetos de alegria logo contidos por um pensamento importuno. Adivinhou ela que não era a recordação do pai, nem a ausência de Vitor, a causa da profunda melancolia que lançava um véu na existência da sua sobrinha; depois acorreram-lhe suspeitas tão más que lhe foi difícil determinar a verdadeira causa do mal, porque a verdade talvez só por acaso se encontra.

Um dia, enfim, Júlia fez brilhar aos olhos da tia maravilhada um esquecimento completo do casamento, uma loucura de criança travessa, uma candura de espírito delicado, e por vezes tão profundo, que distingue as jovens francesas. A senhora de Listomère resolveu, então, sondar os arcanos daquela alma cuja extrema naturalidade equivalia a uma dissimulação impenetrável. Aproximara-se a noite, as duas senhoras estavam sentadas junto duma janela que dava para a rua, Júlia tornara-se de novo pensativa. Passava nesse momento um cavaleiro.

— Aí tem uma das suas vítimas — disse a velha marquesa.

A senhora d'Aiglemont encarou a tia manifestando um espanto misturado com uma certa inquietação.

— É um jovem inglês, um fidalgo, Artur Ormond, filho mais velho do lorde Grenville. A sua história é interessante. Veio a Montpellier em 1802, esperando que o ar desse país, para onde os médicos o mandavam, o curaria duma doença de peito de que devia morrer. Como todos os seus compatriotas, foi preso por Bonaparte na ocasião da guerra, porque esse monstro não pode nunca deixar de guerrear. Como distração, o inglês começou a estudar a sua doença, que se julgava mortal. Insensivelmente, tomou gosto pela anatomia, pela medicina, apaixonou-se por essas artes, o que é assaz extraordinário num gentil homem; mas também o Regente se dedicou à química! Em resumo, o senhor Artur fez extraordinários progressos, mesmo para os professores de Montpellier; o estudo consolou-o do cativeiro, e ao mesmo tempo curou-se radicalmente. Diz-se que ele esteve dois anos sem falar, respirando raramente, dormindo numa estrebaria, bebendo leite duma vaca da Suíça e se alimentando de agriões. Desde que se encontra em Tours, não procurou ninguém, é orgulhoso como um pavão, mas Júlia fez decerto a sua conquista, pois não é provavelmente por minha causa que ele passa debaixo das nossas janelas duas vezes por dia desde que está aqui... Com certeza, ama-a.

Estas últimas palavras despertaram a condessa como por magia. Sorriu dum modo que surpreendeu a marquesa. Longe de testemunhar essa satisfação instintiva que qualquer mulher, por mais severa que seja, sente ao saber que há alguém infeliz por sua causa, o olhar de Júlia foi amortecido e frio. O seu rosto indicava um sentimento de repulsa, quase de horror. Esta proscrição não é a que uma mulher amorável fulmina sobre o mundo inteiro em proveito de um único ente: ela sabe então rir e gracejar; não, Júlia tinha, nesse instante, a atitude de alguém que sente ainda a recordação dum perigo que a fez sofrer muitíssimo.

A tia, bem convencida que a sua sobrinha não amava o sobrinho, ficou estupefata ao descobrir que também não amava outro. Temeu de ter de reconhecer em Júlia um coração desiludido, uma jovem a quem a experiência de um dia, de uma noite talvez, havia bastado para avaliar a nulidade de Vitor.

"Se ela o conhece, está tudo dito", pensou ela, "o meu sobrinho virá talvez a sofrer os inconvenientes do matrimônio."

Propunha-se ela, então, a converter Júlia às doutrinas monárquicas do século de Luís XV, mas, algumas horas mais tarde, soube, ou antes adivinhou, a situação bastante vulgar na sociedade a que a condessa devia a sua extrema melancolia.

Júlia, que de súbito se tornara pensativa, retirou-se para o quarto mais cedo que de costume. Depois da criada de quarto tê-la ajudado a se despir, a jovem senhora conservou-se perto do fogão, recostada numa poltrona de veludo amarelo, móvel antigo, tão favorável para os aflitos como para os venturosos; chorou, suspirou, pensou; depois puxou para junto de si uma mesa pequena, procurou papel e pôs-se a escrever. As horas passaram rapidamente, a confidência que Júlia fazia nessa carta parecia custar-lhe muito, cada frase provocava longas meditações; de repente, a jovem rompeu em lágrimas. Nesse momento os relógios davam duas horas. Inclinou para o peito a cabeça tão pesada como a de uma agonizante; depois, quando a ergueu, Júlia viu aparecer de súbito a tia, como um personagem que se tivesse despregado da tapeçaria que cobria as paredes.

— Que tem, minha filha? — disse a velha marquesa. — Por que vela até tão tarde, e por que chora aqui sozinha, na sua idade?

Sentou-se sem cerimônia perto da sobrinha e devorou com os olhos a carta começada.

— Escrevia a seu marido?

— Se não sei onde ele está — replicou a condessa.

A tia pegou no papel e leu. Trouxera consigo as lunetas, havia nisto premeditação. A inocente criatura deixou-a a ler a carta sem fazer o mínimo reparo. Não era nem por falta de dignidade, nem por qualquer sentimento de culpabilidade secreta que lhe roubasse toda a energia. Não; a tia encontrou-a ali num desses momentos de crise em que a alma está como afrouxada, em que tudo se torna indiferente, o bem como o mal, o silêncio como a confiança.

Semelhante a uma donzela virtuosa que acabrunha o amante de impropérios, mas que, à noite, se encontra tão triste, tão abandonada, que o deseja e quer um coração onde deponha os seus sofrimentos, Júlia deixou violar, sem proferir uma palavra, o sigilo que a delicadeza imprime numa carta aberta, e ficou pensativa enquanto a marquesa lia:

"Minha querida Luiza, por que se há de reclamar tantas vezes o cumprimento da promessa mais imprudente que possam fazer duas jovens ignorantes? Perguntas muitas vezes a ti mesma, escreves-me perguntando, por que há seis meses não respondo às tuas perguntas. Se não compreendeste o meu silêncio, hoje saberás talvez a causa, sabendo os mistérios que estou traindo. Tê-los-ia sepultado no fundo do meu coração se não me avisasses do teu próximo casamento. Vais casar, Luiza. Esta notícia me fez tremer. Pobre criança, casa-te; depois, dentro de alguns meses, um dos teus mais amargos pesares será causado pela recordação do que já fomos, quando uma noite, em E'couen, subindo às montanhas mais altas, contemplamos o formoso vale que tínhamos a nossos pés, para admirar o sol poente cujos reflexos nos envolviam. Sentamo-nos num rochedo e caímos num devaneio a que sucedeu a mais doce melancolia. Foste a primeira a pensar que esse sol distante nos falava do futuro. Éramos então curiosas e tontas! Recordas-te de todas as nossas extravagâncias? Beijamo-nos como dois amantes, dizíamo-nos. Juramos ambas que a primeira que casasse narraria fielmente à outra esses segredos do himeneu, essas alegrias que as nossas almas jovens nos figuravam tão deliciosas. Essa noite será o teu desespero, Luiza. Naquele tempo eras nova, formosa, despreocupada, senão feliz; um marido tornar-te-á, em poucos dias, o que eu já sou: feia, doente e velha. Dizer-te como me sentia altiva, vaidosa e feliz por desposar o coronel Vitor d'Aiglemont seria uma loucura! E como havia de dizer agora? Já nem me lembro sequer de mim. Em poucos instantes, a minha infância tornou-se como que um sonho. A minha atitude durante o dia solene, que consagrava um vínculo cuja extensão ignorava, não foi isenta de censuras. Meu pai mais uma vez tentou reprimir a minha alegria que se tornava inconveniente e as minhas palavras que revelavam malícia, justamente porque não o tinham. Fazia mil criancices com esse véu nupcial, esse vestido e essas flores. Quando me vi sozinha, à noite, no aposento a que fora conduzida com grande aparato, pensei em pregar uma peça a Vitor, e enquanto o esperava, sentia palpitações de coração semelhantes às que, noutro tempo, se apoderavam de mim nesses dias solenes de 31 de dezembro, quando, sem ser vista, me introduzia no salão em que estavam reunidos os brinquedos. Meu marido procurou-me ao entrar no quarto e o riso sufocado que ouviu sob as musselinas que me serviam de esconderijo foi a última nota dessa suave alegria que animou os brinquedos da nossa infância..."

Quando a velha marquesa terminou a leitura dessa carta, que, em vista do seu começo, devia conter bem tristes observações, colocou lentamente as lunetas sobre a mesa e, segurando a carta, fitou a sobrinha com olhar cujo brilho não fora amortecido pelos anos.

— Minha filha — disse por fim —, uma senhora casada escrevendo deste modo a uma menina falta às conveniências...

— Era o que eu pensava — respondeu Júlia interrompendo sua tia —; e tinha vergonha de mim enquanto lia...

— Se à mesa uma iguaria não nos agrada, não devemos por isso enjoar as outras pessoas, minha filha — replicou a velha senhora com bondade —, principalmente quando, desde Eva até nós, o casamento foi considerado uma coisa tão excelente...

Júlia apanhou a carta e jogou-a ao fogo.

— Já não tem mãe? — perguntou a marquesa.

A condessa estremeceu, depois ergueu docemente a cabeça e disse:

— Tenho lamentado por mais duma vez a sua falta de um ano para cá, mas fiz mal em não seguir os conselhos de meu pai, que não queria Vitor para genro.

Olhou para a tia, e um frêmito de alegria lhe secou as lágrimas quando viu o ar de bondade que animava aquele velho rosto. Estendeu a mão à marquesa, que parecia pedir-lha; e, quando seus dedos se estreitaram, as duas mulheres se compreenderam.

— Pobre órfã! — acrescentou a marquesa de Listomère.

Estas palavras foram para Júlia um último raio de luz. Pareceu-lhe ouvir ainda a voz profética do pai.

— As suas mãos escaldam! Estão sempre assim? — perguntou a bondosa velha.

— Há apenas sete ou oito dias que a febre me deixou — respondeu Júlia.

— Nunca me disse que tinha febre!

— Há um ano que a tenho — disse Júlia com uma certa ansiedade pudica.

— Assim, meu anjinho — tornou a tia —, o casamento não tem sido para si mais do que um longo sofrimento?

A condessa não ousou responder, mas fez um gesto afirmativo que traía todas as suas angústias.

— É infeliz então?

— Oh! Não, minha tia. Vitor ama-me com idolatria, e eu adoro-o; ele é tão bom!

— Sim, ama-o, mas foge-lhe, não é verdade?

— Sim... Algumas vezes... Ele me procura constantemente.

— Quando se vê sozinha não a perturba a ideia de que ele a surpreenda?

— É verdade, minha tia. Mas amo-o muitíssimo, asseguro-lhe.

— Não se acusa, em segredo, de não saber ou não poder partilhar os seus prazeres? Não lhe acode, por vezes, a ideia de que o amor legítimo é mais pesado do que uma paixão criminosa?

— Oh! É isso mesmo — disse Júlia chorando. — Adivinha pois tudo, onde só encontro enigmas? Os meus sentidos estão adormecidos, não tenho ideias, em suma, vivo dificilmente. Minha alma acha-se oprimida por uma indefinível apreensão que paralisa os meus sentimentos e me lança num torpor contínuo. Sinto-me sem voz para me queixar e sem palavras para exprimir a minha dor. Sofro, e tenho vergonha de sofrer, vendo Vitor feliz com o que me mata.

— Tudo isso são criancices, insignificâncias! — exclamou a tia cujo rosto emagrecido se animou de repente por um alegre sorriso, reflexo das alegrias da sua mocidade.

— E a tia também se ri! — disse com desespero a condessa.

— Fui assim mesmo — replicou prontamente a marquesa. — Agora que Vitor a deixou só não se sente melhor e mais tranquila... sem prazeres, mas sem sofrimento?

Júlia abria os olhos espantados.

— Enfim, meu anjo, adora Vitor, não é assim? Mas preferiria ser sua irmã a ser sua mulher, e não se dá bem com o casamento.

— É isso mesmo, minha tia. Mas por que sorri?

— Oh! Tem razão, pobre criança; não há nada de alegre em tudo isso. O seu futuro seria bem sombrio se eu a não tomasse sob a minha proteção e se a minha velha experiência não soubesse adivinhar a causa bem inocente dos seus desgostos. Meu sobrinho não merecia ser tão feliz, o tolo! No reinado do nosso bem-amado Luís XV, uma jovem esposa que se encontrasse na situação em que a vejo, depressa teria castigado o marido por proceder como um egoísta lansquenete. Os militares às ordens desse tirano imperial são todos uns vis ignorantes. Tomam a brutalidade por galanteria, conhecem tanto as mulheres como sabem amá-las; julgam que, por terem de ir ao encontro da morte no dia seguinte, estão dispensados de terem, na véspera, cuidados e atenções conosco. Noutros tempos, sabia-se tão bem amar como morrer a propósito. Minha querida sobrinha, hei de ensiná-lo e pôr um termo ao triste desacordo, bastante natural, que os levaria a odiarem-se mutuamente, a desejarem o divórcio, se todavia não tivessem morrido antes de desespero.

Júlia ouvia a sua tia com pasmo e assombro, surpreendida por encontrar nas suas palavras uma sensatez que pressentia melhor do que compreendia, e deveras assustada por ouvir de uma parenta cheia de experiência, embora sob uma forma mais suave, a opinião formulada por seu pai a respeito de Vitor. Ela teve talvez uma nítida intuição do futuro e sentiu sem dúvida o peso das desgraças que haviam de acabrunhá-la, porque rompeu em pranto e lançou-se nos braços da outra dizendo:

— Seja minha mãe!

A tia não chorou, porque a Revolução deixou poucas lágrimas nos olhos das mulheres da antiga monarquia. Outrora o mar e mais tarde o Terror familiarizaram-nas com as peripécias mais pungentes, de modo que conservam no meio dos perigos da vida uma dignidade fria, uma afeição sincera, mas pouco expansiva, que lhes permite se manterem sempre fiéis à etiqueta e a uma nobreza de porte que os usos modernos tiveram o grande erro de repudiar.

A velha marquesa abraçou a jovem esposa, beijou-a na fronte com uma ternura e uma graça que muitas vezes se encontram mais nas maneiras e nos hábitos dessas mulheres do que no seu coração, consolou a sobrinha com palavras meigas, prometeu-lhe um futuro feliz, embalou-a com promessas de amor enquanto a ajudava a se deitar, como se ela fosse sua filha, uma filha querida cuja esperança e tristezas partilhava. Revia-se nova, inexperiente e linda em sua sobrinha.

A condessa adormeceu feliz por ter encontrado uma amiga, uma mãe a quem doravante tudo poderia confiar. Na manhã seguinte, quando a tia e a sobrinha se beijavam com essa cordialidade e esse ar de inteligência que provam um progresso profundo no sentimento, uma harmonia mais perfeita entre duas almas, ouviram o passo dum cavalo, voltaram a cabeça ao mesmo tempo e viram o jovem inglês que passava vagarosamente, segundo o seu costume. Parecia ter feito um certo estudo sobre a vida das duas mulheres solitárias, e nunca deixava de passar enquanto almoçavam ou jantavam. O cavalo retardava o passo sem necessidade de ser avisado; depois, durante o tempo que levava a percorrer o espaço ocupado pelas duas janelas da sala de jantar, Artur lançava um olhar melancólico quase sempre desdenhado pela condessa, que não lhe prestava a mínima atenção. Mas, habituada a essas curiosidades mesquinhas que se dão às mais pequeninas coisas, a fim de animar a vida de província, e de que só com dificuldade se afastam os espíritos superiores, a marquesa divertia-se com o amor tímido, tão tacitamente expresso pelo inglês. Aqueles olhares periódicos tinham-se tornado como um hábito para ela, e todos os dias assinalava a passagem de Artur com novos gracejos. Tomando lugar à mesa, as duas senhoras olharam simultaneamente para o inglês. Os olhos de Júlia e de Artur encontraram-se dessa vez com uma tal precisão de sentimento que a jovem condessa corou. Imediatamente ele apressou o cavalo e partiu a galope.

— Que devo fazer? — perguntou Júlia à tia. — Toda a gente que vê este inglês passar aqui pode acreditar que eu sou...

— Sim — respondeu a tia interrompendo-a.

— E então posso dizer-lhe que não passeie por aqui?

— Não seria fazer-lhe pensar que é perigoso? E, de resto, pode-se impedir um homem de passar por onde lhe apeteça? Amanhã deixaremos de fazer as refeições nesta sala; quando já não nos vir aqui, o jovem cavaleiro há de cessar de amá-la pela janela. Aqui tem, minha querida filha, como procede uma mulher que tem experiência do mundo.

Mas a desgraça de Júlia devia ser completa. Logo que as duas senhoras se levantaram da mesa, chegou o criado de Vitor, inesperadamente. Vinha de Bourges a todo galope, por caminhos apartados, e trazia para a condessa uma carta de seu marido. Vitor, que havia abandonado o imperador, anunciava à esposa a queda do regime imperial, a tomada de Paris e o entusiasmo que se declarava a favor de Bourbons em todos os pontos da França, mas, não sabendo como penetrar em Tours, rogava-lhe que se dirigisse a toda a pressa a Orléans, onde esperava encontrar-se com passaportes para ela. Esse criado, antigo militar, devia acompanhar Júlia de Tours a Orléans, caminho que Vitor ainda julgava livre.

— A senhora não tem um instante a perder — disse o criado —; os prussianos, os austríacos e os ingleses vão fazer junção em Blois ou em Orléans...

Em poucas horas, a jovem condessa fez os seus preparativos e partiu numa antiga sege que lhe emprestou a tia.

— Por que não vem conosco a Paris? — disse Júlia na despedida, beijando a marquesa. — Agora que os Bourbons voltam ao poder, encontraria aí...

— Sem esse regresso inesperado, teria ido da mesma forma, minha pobre criança, porque os meus conselhos são muito precisos a si e a Vitor. Vou, pois, me preparar para ir ter convosco brevemente.

Júlia partiu acompanhada pela sua criada-grave e pelo velho militar, que galopava ao lado da sege velando pela segurança da sua patroa. À noite, quando chegaram ao ponto onde deviam mudar os cavalos, um pouco adiante de Blois, Júlia, inquieta por ouvir um carro que a seguia desde Amboise, pôs-se à portinhola a fim de ver quais eram os seus companheiros de jornada. A claridade da lua permitiu-lhe avistar Artur de pé, a três passos de distância, com os olhos fixos na sege. Os seus olhares se encontraram. A condessa recuou vivamente para o fundo do carro, mas com um sentimento de medo que a fez palpitar. Como a maior parte das mulheres novas realmente inocentes e sem experiência, via ela uma falta no amor que involuntariamente inspirara a um homem. Sentia um terror instintivo, que lhe dava talvez a consciência de sua fraqueza perante uma tão audaciosa agressão. Uma das armas mais fortes do homem é esse terrível poder de fazer com que pense nele a mulher cuja imaginação naturalmente mutável se assusta ou se ofende com uma perseguição. A condessa recordou-se do conselho da tia e resolveu não tornar a se mostrar durante a viagem, mas a cada parada ela ouvia o inglês, que passeava entre as duas seges; e, na estrada, o ruído importuno do carro que a seguia ressoava incessantemente a seus ouvidos. Júlia pensou que logo que se reunisse ao marido, Vitor havia de defendê-la contra essa singular perseguição.

— Mas e se esse rapaz não me amasse?

Esta foi a última reflexão que ela fez. Chegando a Orléans, a sua sege de posta teve de parar por ordem dos prussianos, foi levada para o pátio duma estalagem e guardada pelos soldados. A resistência era impossível. Os estrangeiros explicaram aos três viajantes, por meio de sinais imperiosos, que tinham recebido ordem de não deixar sair ninguém do carro. A condessa chorou durante duas horas, prisioneira entre soldados que fumavam, riam e por vezes a fitavam com uma insolente curiosidade; finalmente, viu-os afastarem-se com um certo respeito ouvindo um galopar de cavalos. Eram oficiais superiores que chegavam, tendo à frente um general austríaco, que se acercou da sege.

— Senhora — disse o general —, queira receber as nossas desculpas. Houve um engano, pode continuar sem receio a viagem, e aqui tem um passaporte que lhe evitará qualquer outra contrariedade...

Júlia, toda trêmula, pegou o papel e balbuciou umas palavras vagas. Via junto do general e com o uniforme de oficial inglês Artur, a quem, sem dúvida, devia aquela pronta libertação. Alegre e melancólico ao mesmo tempo, o jovem inglês voltou a cabeça e não ousou olhar para Júlia senão de soslaio. Graças ao passaporte, a condessa d'Aiglemont chegou a Paris sem outro contratempo. Aí encontrou o marido, que, desligado do juramento de fidelidade ao imperador, havia recebido o mais lisongeiro acolhimento da parte do conde d'Artois, nomeado general-em-chefe do reino por seu irmão Luís XVIII. Vitor teve um posto eminente que correspondia ao de general.

Todavia, no meio das festas que assinalaram o regresso dos Bourbons, a pobre Júlia sofreu um profundo desgosto que muito devia influir na sua vida: perdeu a marquesa de Listomère Landou. A velha senhora morreu de alegria e da gota que lhe subiu ao coração, vendo novamente em Tours o duque de Angoulême. Assim, a pessoa a quem a idade dava o direito de esclarecer Vitor, a única que, por conselhos sensatos, poderia tornar mais perfeito o acordo entre a mulher e o marido, essa pessoa morrera. Júlia sentiu toda a extensão dessa perda. Não tinha mais ninguém entre ela e o marido; mas, nova e tímida, devia preferir o sofrimento à queixa. A própria perfeição do seu caráter opunha-se a que ousasse subtrair-se aos deveres, ou tentasse procurar a causa de suas dores, porque fazê-lo cessar seria muito difícil. Júlia recearia ofender o seu pudor de mulher.

E não tornou a ver Sir Artur.

A MÃE

Não se encontram muitos homens cuja profunda nulidade é um segredo para a maior parte das pessoas que os conhece? Uma posição elevada, um nascimento ilustre, atribuições importantes, um certo verniz de polidez, uma grande reserva no procedimento ou o prestígio da fortuna são para eles como guardas que impedem os críticos de penetrar na sua existência íntima. Essa gente parece-se com os reis, cuja verdadeira estrutura, caráter e costumes nunca podem ser bem conhecidos nem justamente apreciados, porque são vistos de muito longe ou de muito perto. Essas personagens de merecimento fictício interrogam em vez de falar, têm a arte de dispor os outros em cena e de fazê-los mover com destreza cada um segundo as suas paixões ou os seus interesses e zombam, assim, de homens que lhes são realmente superiores, fazem deles uns fantoches e julgam-nos pequenos porque os rebaixaram até as suas pessoas. Obtêm, então, o triunfo natural dum pensamento mesquinho, porém fixo, sobre a mobilidade dos grandes pensamentos. De sorte que, para apreciar esses cérebros ocos e pesar-lhes o valor negativo, o observador deve ter um espírito mais sutil do que superior, mais paciência do que alcance de vista, mais finura e tato do que elevação e grandeza nas ideias. Não obstante, por maior habilidade que empreguem esses usurpadores em defender os seus pontos fracos, é-lhes bem difícil enganar as esposas, as mães, os filhos ou o amigo da casa. Esses, porém, guardam quase sempre o segredo sobre um assunto que de algum modo toca à honra comum, e muitas vezes até os ajudam a imporem-se à sociedade.

Se, graças a estas conspirações domésticas, muitos tolos passam por homens superiores, compensam o número de homens superiores que passam por tolos, de sorte que o Estado social tem sempre a mesma massa de capacidades aparentes.

Pensai agora no papel que deve representar uma mulher de espírito e de sentimento na presença dum marido desse gênero; não se descobrem existências cheias de dores e dedicação, cujos corações ternos e delicados coisa alguma neste mundo poderia recompensar? E quando se encontra uma mulher forte nessa horrível situação, livra-se dela por meio dum crime, como fez Catarina II, não obstante denominada "a Grande". Mas como nem todas as mulheres se encontram sentadas num trono, sofrem quase todas os desgostos domésticos que, por serem obscuros, não deixam de ser menos terríveis. Aquelas que procuram neste mundo consolações imediatas nos seus males, conseguem apenas substituí-los por outros quando querem conservar-se fiéis aos seus deveres, ou cometem faltas se violam as leis em proveito dos seus prazeres. Estas reflexões são inteiramente aplicáveis à história secreta de Júlia.

Enquanto Napoleão se manteve no poder, o conde d'Aiglemont, coronel como tantos outros, bom oficial de ordenança, excelente para cumprir uma missão perigosa, porém incapaz dum comando de certa importância, não excitou a mínima inveja, passou por um dos bravos que o imperador favorecia e foi o que os militares vulgarmente chamam "um bom camarada". A Restauração, restituindo-lhe o título de marquês, não encontrou um ingrato; seguiu os Bourbons a Gand. Este ato de lógica e de fidelidade fez mentir o horóscopo que outrora o sogro tirara, predizendo que o genro ficaria sempre coronel. No segundo regresso, nomeado general de divisão e tendo reconquistado o seu título de marquês, o senhor d'Aiglemont, com a ambição de chegar ao pariato, adotou as máximas e a política do "Conservador", envolveu-se numa dissimulação que não ocultava coisa alguma, tornou-se grave, interrogador, de poucas falas e foi tido como um homem superior. Usando sempre duma extrema polidez, munido de fórmulas, retendo e prodigalizando as frases já preparadas que se cunham regularmente em Paris para dar em troco aos tolos o sentido das grandes ideias ou fatos, as pessoas de suas relações foram unânimes em proclamá-lo homem de fino gosto e de muito saber. Teimoso nas suas opiniões aristocráticas, foi citado como detentor de um esplêndido caráter. Se, por acaso, se tornava descuidado ou alegre como fora noutro tempo, a insignificância e a estultícia das suas frases tinham para os outros sutilezas diplomáticas.

"Oh! Ele só diz o que lhe interessa", pensava muita gente boa.

Serviram-no tão bem as suas qualidades como os seus defeitos. A sua bravura ganhara uma alta reputação militar que coisa alguma desmentia, porque nunca tivera comando algum. O seu rosto másculo e nobre refletia pensamentos vastos, e só para a esposa era um impostor. Ouvindo todo mundo prestar justiça aos seus talentos postiços, o marquês d'Aiglemont acabou por se persuadir de que era um dos homens mais notáveis da corte, onde, graças às aparências, soube agradar, e onde os seus diferentes merecimentos foram aceitos sem protesto.

Contudo, o senhor d'Aiglemont era modesto em sua casa, sentia instintivamente a superioridade da esposa, apesar de muito nova; e desse involuntário respeito nasceu um poder oculto que a marquesa se viu obrigada a aceitar, apesar de todos os seus esforços para afastar de si o pesado fardo. Conselheira do marido, ela dirigia-lhe os atos e a fortuna. Essa influência pouco natural foi para ela uma espécie de humilhação e a origem de muitos desgostos que sepultara no coração. Dizia-lhe seu instinto, tão delicadamente feminino, que é muito mais belo obedecer a um homem de talento do que guiar um tolo, e que uma esposa jovem, obrigada a pensar e a proceder como um homem, não é mulher nem homem, abdica todas as graças do seu sexo, sem perder os seus desgostos nem adquirir nenhum dos privilégios que as leis deram aos mais fortes. Ocultava a sua existência uma irrisão bem amarga. Não era ela obrigada a honrar um ídolo oco? A proteger o seu protetor, pobre ente que, por salário duma dedicação contínua, lhe lançava o amor egoísta dos maridos, só via nela uma mulher, não se dignava ou não sabia, injúria igualmente profunda, inquietar-se com os seus prazeres, nem cuidar da sua tristeza e do seu definhamento? Como a maior parte dos maridos que sentem o jugo dum espírito superior, o marquês salvara o seu amor-próprio deduzindo da fraqueza física a fraqueza moral de Júlia, que ele se comprazia em lastimar, pedindo contas ao destino por lhe ter dado por esposa uma mulher doentia. Enfim, dizia-se vítima quando era o carrasco. A marquesa, sobrecarregada com todos os desgostos daquela triste existência, devia ainda sorrir ao seu imbecil senhor, ornamentar de flores uma casa de luto e ostentar felicidade num rosto empalidecido por secretos suplícios.

Esta responsabilidade de honra, esta abnegação magnífica dera insensivelmente à jovem marquesa uma dignidade de mulher, uma segurança de virtude que lhe serviram de escudo contra os perigos do mundo. Para sondar a fundo aquele coração, talvez que o pesar íntimo e oculto pelo qual o seu primeiro e ingênuo amor de donzela fora coroado, a fizesse considerar com horror as paixões; talvez não compreendesse nem a loucura, nem as alegrias, ilícitas, porém delirantes, que fazem algumas mulheres esquecerem as leis da prudência, os princípios de virtude sobre os quais repousa a sociedade.

Renunciando, como a um sonho, às doçuras, à terna harmonia que a velha experiência da senhora de Listomère Landou lhe havia prometido, esperou Júlia com resignação o fim dos seus desgostos, acreditando morrer cedo. Desde seu regresso da Touraine, a sua saúde alterara-se cada vez mais, e a vida lhe parecia medida pelo sofrimento; sofrimento elegante de resto, doença quase voluptuosa na aparência e que podia passar aos olhos de pessoas superficiais por uma fantasia de mulher afetada. Os médicos tinham condenado a marquesa a conservar-se deitada num divã, onde se estiolava entre as flores que a rodeavam, murchando como elas. A sua fraqueza lhe proibia os passeios a pé e as grandes correntes de ar; só saía em carruagem fechada. Sempre rodeada de todas as maravilhas do luxo e da indústria moderna, mais se assemelhava a uma rainha indolente do que a uma doente. Alguns amigos, apaixonados talvez pelo seu infortúnio e fraqueza, certos de a encontrarem sempre em casa, e especulando sem dúvida sobre a sua boa saúde futura, iam levar-lhe notícias e informá-la dos mil acontecimentos insignificantes que tornam em Paris a existência tão variada. A sua melancolia conquanto grave e profunda era portanto a melancolia da opulência. A marquesa d'Aiglemont semelhava-se a uma linda flor cuja raiz é roída por um inseto nocivo.

Aparecia algumas vezes nos salões, não por gosto, mas para obedecer às exigências da posição a que aspirava seu marido. A sua voz e a perfeição do seu canto podiam permitir-lhe obter aplausos que geralmente desvanecem uma mulher, mas para que lhe serviam sucessos que ela não ligava nem a sentimentos nem a esperança? O marido não gostava de música. Enfim, sentia-se quase sempre contrafeita nos salões, em que a sua beleza lhe atraía homenagens interesseiras. A sua situação despertava uma certa compaixão cruel, uma curiosidade triste. Júlia sofria duma inflamação geralmente mortal, que as mulheres confiam ao ouvido uma das outras, e para a qual a nossa neologia não achou ainda termo. Apesar do silêncio no seio do qual corria a sua vida, a causa do seu sofrimento não era segredo para ninguém. Sempre ingênua, não obstante o casamento, o mais rápido olhar a envergonhava. De sorte que, para evitar o rubor, mostrava-se sempre risonha, contente; afetava uma falsa alegria, gabava as suas disposições ou prevenia as perguntas acerca da sua saúde com pudicas mentiras.

Entretanto, em 1817, um fato contribuiu muito para modificar o estado deplorável em que Júlia se afundara até então. Teve uma filha e quis criá-la. Durante dois anos, as vivas distrações e as inquietas alegrias que dão os cuidados maternais tornaram-lhe a existência menos infeliz.

Separou-se necessariamene do marido. Os médicos prognosticaram-lhe melhor saúde, mas a marquesa não deu crédito àqueles hipotéticos presságios. Como toda a gente para quem a vida não tem encanto, ela via talvez na morte um desenlace feliz.

No começo de 1819, a vida tornou-se-lhe mais cruel que nunca. No momento em que aplaudia a felicidade negativa que soubera conquistar, entreviu abismos medonhos; o marido, pouco a pouco, desabituara-se dela. Este resfriamento duma afeição já tão frouxa e egoísta podia ser origem de mais um infortúnio que o seu fino tato e a sua prudência lhe faziam prever. Ainda que estivesse certa de conservar um grande império sobre Vitor e de haver obtido a sua estima para sempre, temia a influência das paixões sobre um homem tão nulo e tão vaidosamente irrefletido.

Muitas vezes os seus amigos surpreendiam Júlia em longas meditações; os menos perspicazes perguntavam-lhe a causa gracejando, como se uma mulher jovem só pudesse pensar em frivolidades, como se não existisse quase sempre um sentido profundo nos pensamentos de uma mãe de família. De resto, tanto a desgraça como a verdadeira felicidade nos levam ao devaneio.

Às vezes brincando com a sua Helena, Júlia fitava-a com um olhar sombrio e cessava de responder a essas interrogações infantis que causam tanto prazer às mães, para pedir conta do seu destino ao presente e ao futuro. Os olhos enchiam-se-lhe então de lágrimas quando de repente qualquer recordação lhe reavivava a cena da revista nas Tulherias. As palavras previdentes do pai ressoavam-lhe de novo ao ouvido e a consciência censurava-a por não lhes ter atendido. Dessa insensata desobediência provinham todos os seus infortúnios, e muitas vezes não sabia, entre todos, qual era o mais penoso.

Não somente os doces tesouros da sua alma permaneciam ignorados, como nunca conseguira fazer-se compreender pelo seu marido, nem mesmo nas coisas mais vulgares da vida. No momento em que a faculdade de amar se desenvolvia nela mais forte e ativa, o amor permitido, o amor conjugal extinguia-se no meio de graves sofrimentos físicos e morais. Demais ela tinha pelo marido essa compaixão vizinha do desprezo que destrói com o tempo todos os sentimentos. Enfim, se as conversações com alguns amigos, se os exemplos ou se certas aventuras da alta sociedade não lhe tivessem mostrado que o amor pode causar imensa felicidade, os seus desgostos ter-lhe-iam feito adivinhar as alegrias íntimas e puras que devem unir almas fraternais.

No quadro que a memória lhe traçava do passado, desenhava-se o rosto cândido de Artur cada dia mais puro e mais belo, mas rapidamente, tão pouco tempo se demorava nesse pensamento. O amor silencioso e tímido do jovem inglês era o único acontecimento que, depois do casamento, lhe havia deixado alguns vestígios suaves no coração sombrio e solitário. Talvez que todos os desenganos, todos os desejos frustrados, que, gradualmente, entristeciam o espírito de Júlia remontassem por um capricho natural da imaginação a esse homem, cujos modos, sentimentos e caráter pareciam oferecer tanta semelhança com os seus. Todavia, este pensamento tinha sempre a aparência dum capricho, dum sonho. Após esse sonho impossível, que morria sempre num suspiro, Júlia despertava mais infeliz e sentia ainda mais as suas dores latentes quando as havia adormecido sob as asas duma felicidade imaginária.

Às vezes, os seus queixumes tomavam um caráter de loucura e de audácia, queria obter prazeres a todo o custo; porém, mais frequentemente ainda, era presa dum torpor estúpido, escutava sem compreender, ou concebia pensamentos tão vagos, tão indecisos, que não encontraria palavras para os traduzir. Magoada nos seus mais íntimos desejos, nos costumes que em jovem sonhava, via-se obrigada a reter as suas lágrimas. A quem havia de se queixar? Quem a escutaria? Além disso, tinha essa extrema delicadeza da mulher, esse delicioso pudor de sentimento que consiste em calar uma queixa inútil, em não desejar um triunfo que deve humilhar o vencedor e o vencido. Júlia tentava incutir a sua capacidade e as suas próprias virtudes ao senhor d'Aiglemont, e lisonjeava-se de gozar a felicidade que lhe faltava. Toda a sua finura de mulher era inutilmente empregada em atenções ignoradas por aquele cujo despotismo perpetuava. Havia momentos em que o desgosto a deixava como que embriagada, sem ideias, meio louca; mas felizmente um sentimento de verdadeira piedade logo a reconciliava com uma suprema esperança: refugiava-se na vida futura, crença admirável que a fazia aceitar de novo a sua dolorosa tarefa. Estes combates tão terríveis, estas angústias íntimas eram obscuras, essas longas melancolias eram desconhecidas; criatura nenhuma recolhia seus tristes gemidos, seus olhares ternos, suas lágrimas cheias de amargura, derramadas na solidão.

Os perigos da crítica situação a que a marquesa insensivelmente chegara pela força das circunstâncias revelaram-se-lhe em toda a sua gravidade numa noite do mês de janeiro de 1820.

Quando dois esposos se conhecem perfeitamente e estão muito habituados um ao outro, quando uma mulher sabe interpretar os gestos mais insignificantes de um homem e pode penetrar os sentimentos ou as coisas que lhe oculta, sucede que brilha uma repentina claridade, devida às reflexões e aos reparos que o acaso se encarrega de apresentar, ou tecidas a princípio descuidadamente. A mulher desperta muitas vezes de repente à beira ou no fundo dum abismo. Assim a marquesa, feliz por se achar só havia alguns dias, adivinhou o segredo da sua solidão. Inconstante ou enfastiado, generoso ou cheio de compaixão por ela, seu marido não lhe pertencia mais. Nesse momento, Júlia não pensou em si, nem nos seus sofrimentos, nem nos seus sacrifícios; só se lembrou que era mãe, e só considerou na fortuna, no futuro, na felicidade de sua filha, o único ente donde lhe vinha algum contentamento: a sua Helena, único bem que a prendia à vida. Agora desejava viver para preservar a filha do jugo medonho sob o qual uma madrasta sufocaria a vida daquela querida criança.

A esta nova previsão dum sinistro futuro, Júlia entregou-se a uma dessas meditações ardentes que devoram anos inteiros. Daí em diante, entre ela e o marido, devia encontrar-se um mundo de pensamentos, cujo peso só ela suportaria. Até então, certa de ser amada por Vitor, tanto quanto ele podia amar, dedicara-se Júlia a uma felicidade que não partilhava; mas, presentemente, não tendo já a satisfação de saber que as suas lágrimas faziam a alegria do marido, sozinha no mundo, apenas lhe restava a escolha dos infortúnios. No meio do desânimo que, no sossego e no silêncio da noite, a deixava sem forças; no momento em que, levantando-se do divã, ia contemplar a filha à luz dum candeeiro, entrou o senhor d'Aiglemont, muito alegre. Júlia mostrou-lhe com admiração a filha que dormia a sono solto, mas ele acolheu o entusiasmo da esposa com uma frase banal.

— Nessa idade, todas as crianças são engraçadinhas. — E depois de ter beijado com indiferença a testa da filha, cerrou as cortinas do berço, olhou para Júlia, pegou-lhe na mão e fê-la sentar no mesmo divã onde ela acabava de remoer tantos pensamentos fatais. — Está muito bonita esta noite, senhora d'Aiglemont! — exclamou ele com aquela alegria insuportável cuja insignificância a marquesa tão bem conhecia.

— Onde passou a noite? — perguntou Júlia fingindo a mais absoluta indiferença.

— Na casa da senhora de Sérizy.

Pegara num para-fogo que estava sobre o fogão e examinava-o atentamente, sem ter notado os vestígios das lágrimas vertidas por sua mulher. Júlia estremeceu. As palavras seriam impotentes para exprimir a torrente de pensamentos que lhe escapou do coração e que ela teve de conter.

— A senhora de Sérizy dá um concerto na próxima segunda--feira e deseja muito que assistas a essa festa. Como há muito não apareces na sociedade, é o bastante para ela desejar ver-te em sua casa. É uma excelente senhora e te estima muito. Dar-me-ás muito prazer aceitando o seu pedido; quase respondi por ti...

— Irei — respondeu Júlia.

O som da voz, a acentuação e o olhar da marquesa tinham qualquer coisa de tão penetrante, tão particular, que, apesar da sua indiferença, Vitor fitou a mulher com espanto, porém nada disse. Júlia adivinhara, num relance, que a senhora de Sérizy era a mulher que lhe roubara o coração do marido.

Absorveu-se numa meditação desesperadora e pareceu muito ocupada a olhar para o fogo. Vitor apresentava a atitude dum homem que, após ter achado a felicidade noutra parte, só encontra tédio e fadiga em casa. Depois de ter bocejado uma porção de vezes, pegou num castiçal e quis beijar a mulher nas espáduas, mas Júlia curvou-se, apresentou-lhe a fronte, onde ele depôs o beijo de todas as noites, beijo maquinal, sem amor, espécie de careta que lhe pareceu então odiosa. Quando Vitor fechou a porta, a marquesa deixou-se cair numa cadeira, trêmula e banhada de lágrimas. É mister ter experimentado o suplício de alguma cena semelhante para compreender os sofrimentos que oculta, para adivinhar os longos terríveis dramas que ocasiona. Aquelas palavras insignificantes e banais, aquele silêncio entre os dois esposos, os gestos, os olhares, a maneira como o marquês se sentara junto do fogão, a sua atitude ao querer beijar o pescoço da mulher, tudo servira para fazer daquela hora um trágico desenlace à vida solitária e dolorosa de Júlia. Na loucura que a acometeu, ela ajoelhou-se junto ao divã, escondendo o rosto para não ver coisa alguma, e rogou a Deus, dando às palavras usuais da sua oração um íntimo acento, uma significação nova que teriam dilacerado o coração do marido se a tivesse ouvido.

Durante oito dias esteve preocupada com o seu futuro, presa do desgosto, procurando o meio de não mentir ao seu coração, de recuperar o seu império sobre o marquês e viver suficientemente para velar pela felicidade da filha. Resolveu, então, lutar com a sua rival, tornar a aparecer e brilhar na sociedade, fingir pelo marido um amor que já não podia sentir, seduzi-lo enfim; depois, quando com os seus artifícios o tivesse sob o seu poder, tornar-se faceira para com ele como são essas mulheres caprichosas, que sentem prazer em atormentar os seus amantes. Este odioso manejo era o único remédio possível para os seus males. Deste modo poderia tornar-se senhora dos seus sofrimentos, ordená-los a seu bel-prazer e torná-los mais raros, subjugando o marido sob um despotismo terrível. Não sentia Júlia o mínimo remorso de lhe impor uma experiência difícil.

Dum salto, lançou-se nos frios cálculos da indiferença para salvar a filha, adivinhou de súbito as perfídias, as mentiras das criaturas que não amam, os embustes da faceirice e essas atrozes astúcias que tornam tão profundamente odiosas as mulheres nas quais os homens supõem, então, corrupções inatas. A despeito de Júlia, a sua vaidade feminina, o seu interesse e um vago desejo de vingança concordaram com o seu amor materno para induzi-la num caminho onde a aguardavam novas dores. Ela possuía, porém, uma alma demasiado bem-formada, um espírito excessivamente delicado e, sobretudo, muita franqueza para permanecer por longo tempo cúmplice dessas fraudes. Habituada a ler em si mesma, ao primeiro passo no vício, porque assim podia-se lhe chamar, o grito da sua consciência devia abafar o das paixões e do egoísmo. Com efeito, numa mulher nova cujo coração é ainda puro e na qual o amor se conservou virgem, o próprio sentimento da maternidade é submetido à voz do pudor. E o pudor não é a própria mulher? Júlia, porém, não quis descobrir nenhum perigo, nenhuma falta na sua nova vida. Foi à casa da senhora de Sérizy. A sua rival esperava ver uma mulher pálida, lânguida; a marquesa pintara-se e se apresentou com todo o brilho duma *toilette* que ainda mais lhe realçava a beleza.

A condessa de Sérizy era uma dessas mulheres que pretendem exercer, em Paris, uma espécie de poderio sobre a moda e a sociedade; promulgava decretos que, acolhidos no círculo em que reinava, pareciam-lhe universalmente adotados; pretendia ser uma grande crítica, era soberamente "sentenciosa". Literatura, política, homens e mulheres, tudo estava sujeito à sua censura, e a senhora de Sérizy parecia desafiar as demais. A sua casa era, sob todos os pontos de vista, um modelo de bom gosto. No meio desses salões cheios de mulheres elegantes e formosas, Júlia triunfou da condessa. Espirituosa, viva, maliciosa, teve em torno de si os homens mais distintos do sarau. Para desespero das mulheres, a sua *toilette* era irrepreensível, e todas lhe invejaram um feitio que foi geralmente atribuído ao talento de alguma modista desconhecida, porque as mulheres preferem acreditar mais na ciência dos tecidos que na graça e perfeição daquelas que são feitas de molde a realçá-las.

Quando Júlia se levantou para ir cantar ao piano a *romanza* de Desdêmona, os homens acudiram de todas as salas para ouvir aquela voz famosa, muda havia tanto tempo, e fez-se um profundo silêncio. A marquesa experimentou viva comoção, vendo todas aquelas cabeças aglomeradas junto das portas e todos os olhos cravados nela. Procurou o marido, lançou-lhe um olhar provocante e viu com prazer que naquele momento o seu amor-próprio se achava extraordinariamente lisonjeado. Radiante de seu triunfo, encantou o auditório na primeira parte de "Al piu salice". Nem a Malibran nem a Pasta nunca tinham interpretado uma *romanza* com tanto sentimento e mestria; mas, quando ia repeti-la, olhou para os grupos e distinguiu Artur, cujo olhar fixo não a abandonava. Estremeceu e a voz alterou-se.

A senhora de Sérizy correu logo para a marquesa.

— Que tem, minha querida? — disse ela. — Oh! É tão doente! Tremi ao vê-la empreender uma coisa superior às suas forças...

A *romanza* foi interrompida. Júlia, despeitada, não se sentiu com coragem de prosseguir e teve de sofrer a pérfida compaixão da sua rival. Todas as mulheres segredavam baixinho; depois, à força de discutir esse incidente, adivinharam a luta travada entre a marquesa e a senhora de Sérizy, a quem não pouparam nas suas depreciações.

Os estranhos pressentimentos que tantas vezes haviam agitado Júlia achavam-se subitamente realizados. Pensando em Artur, comprazia-se em acreditar que um homem aparentemente tão meigo, tão delicado, devia-se conservar fiel ao seu primeiro amor. Às vezes envaidecia-se por ser objeto dessa paixão pura e verdadeira dum mancebo, cujos pensamentos pertencem exclusivamente à sua bem-amada, cujos momentos lhe são todos consagrados, sem subterfúgios, que cora do que faz corar uma mulher, pensa como ela, não lhe dá rivais, e se lhe entrega, sem pensar na ambição, nem na glória, nem na fortuna. Tudo isto ela sonhara de Artur, por loucura, por distração, e de repente julgou ver o seu sonho realizado. Leu no rosto quase feminino do jovem inglês os pensamentos profundos, as suaves melancolias, as resignações dolorosas de que também ela era vítima. Reconheceu-se nele. O infortúnio e a amargura são os intérpretes mais eloquentes do amor e correspondem entre dois entes, que sofrem, com incrível rapidez. A visão íntima e a comunhão dos fatos ou das ideias são neles completas e justas. Por isso a violência do choque que recebeu a marquesa revelou-lhe todos os perigos do futuro. Demasiado feliz por achar um pretexto à sua perturbação no seu estado habitual de sofrimento, deixou-se de boa vontade subjugar pela engenhosa piedade da senhora de Sérizy.

A interrupção da *romanza* era um acontecimento de que todos falavam, interpretando-a cada um a seu modo. Uns deploravam a sorte de Júlia e lastimavam que uma senhora tão notável estivesse perdida para a sociedade; outros queriam saber a causa do seu sofrimento e da solidão em que vivia.

— E então, meu caro Rouquerolles — dizia o marquês ao irmão da senhora de Sérizy —, tu invejavas a minha felicidade vendo a senhora d'Aiglemont e censuravas-me por lhe ser infiel? Pois acharias a minha sorte bem pouco desejável se estivesses como eu na presença duma linda mulher durante um ou dois anos, sem ousar beijar-lhe a mão, com receio de magoá-la. Não te embaraces nunca com essas joias delicadas, boas unicamente para pôr sob uma redoma, e que, pela sua fragilidade e preço, somos obrigados a respeitar. Sais muitas vezes no teu melhor cavalo para o qual receias, segundo me disseram, a chuva e a neve? Ora, aí tens a minha história. É verdade que estou confiadíssimo na virtude da minha mulher; porém o meu casamento é um luxo; e, se me julgas casado, enganas-te. Assim as minhas infidelidades são, sob certo aspecto, legítimas. Gostaria bem de saber como procederiam no meu lugar, senhores zombeteiros! Muitos homens não teriam tantas atenções como eu tenho para com a minha mulher. Estou certo — acrescentou em voz baixa — que a senhora d'Aiglemont não suspeita de nada. Portanto, faria muito mal me queixando; sou deveras feliz... O certo, porém, é que não há nada mais aborrecido para um homem sensível do que ver sofrer uma pobre criatura de quem se gosta...

— Tens, então, muita sensibilidade? — tornou o senhor de Rouquerolles. — Porque raras vezes estás em casa.

Este gentil epigrama fez rir os ouvintes, porém Artur conservou-se frio e imperturbável, como cavalheiro que tomou a gravidade por base do seu caráter. As estranhas palavras daquele marido fizeram, sem dúvida, conhecer algumas esperanças ao jovem inglês, que esperou com paciência o momento de se achar só com o senhor d'Aiglemont, e a ocasião apresentou-se logo.

— Senhor — disse ele —, vejo com infinito pesar o estado da senhora marquesa, e se soubesse que, por falta dum regime especial, ela pode morrer miseravelmente, creio que não gracejaria mais com os seus sofrimentos. Se lhe falo assim, é porque me sinto de algum modo autorizado pela certeza que tenho de salvar a senhora d'Aiglemont e restituí-la à vida e à felicidade. É pouco natural encontrar um médico fidalgo; e todavia o acaso quis que estudasse medicina. Ora, aborreço-me bastante — continuou afetando um frio egoísmo que devia servir os seus desígnios —, para que se me torne indiferente despender o meu tempo e as minhas viagens em proveito de alguém que sofre, em vez de satisfazer loucas fantasias. A cura desta espécie de doenças é rara, porque exige muitos cuidados, tempo e paciência; é mister sobretudo ter fortuna, viajar, seguir rigorosamente prescrições que variam todos os dias e nada têm de desagradável. Somos ambos perfeitos cavalheiros e podemos nos entender. Previno-o de que, se aceitar a minha proposta, será a todo momento juiz do meu procedimento. Nada empreenderei sem o seu prévio consentimento, sem a sua vigilância, e respondo pelo sucesso se consentir em concordar comigo. Sim, se deixar de ser, durante algum tempo, o marido da senhora d'Aiglemont — lhe segredou ao ouvido.

— É certo, milorde — replicou o marquês rindo —, que só um inglês podia me fazer uma proposta tão singular. Permita-me que a não rejeite nem acolha, vou refleti-la. Depois, antes de mais nada, deve ser submetida à minha esposa.

Nesse momento, Júlia voltara a se sentar ao piano. Cantou a ária de Semóramis, "Son regina, son guerriera". Aplausos unânimes, porém surdos, por assim dizer, aclamações polidas do bairro Saint-Germain testemunharam o entusiasmo que provocara.

Quando d'Aiglemont acompanhou a mulher à casa, Júlia viu com certo prazer inquieto o pronto sucesso das suas tentativas. O marido, desperto pelo papel que ela acabava de representar, quis honrá-la com uma fantasia, como teria feito a uma atriz. Júlia achou divertido ser tratada assim, sendo virtuosa e casada; tentou brincar com o seu poder e, nessa primeira luta, a sua bondade fê-la sucumbir ainda uma vez, porém recebeu a mais terrível das lições que lhe reservara o destino.

Pelas duas ou três horas da manhã, Júlia estava sentada, sombria e pensativa, no leito conjugal; o quarto era iluminado por uma lâmpada que espalhava uma luz incerta; o silêncio era profundo; e havia uma hora que a marquesa chorava, entregue a um cruel remorso, e a amargura do seu pranto só pode ser compreendida pelas mulheres que se acharam em situação idêntica. Seria necessário possuir a alma de Júlia para sentir como ela o horror duma carícia calculada, para se julgar tão ofendida por um beijo frio; apostasia do coração, agravada ainda por uma dolorosa prostituição. Perdera a estima de si mesma, amaldiçoava o casamento, desejaria ter morrido; e, sem um grito dado pela filha, ter-se-ia precipitado da janela para a rua. O senhor d'Aiglemont dormia serenamente junto dela, sem ser despertado pelas ardentes lágrimas que caíam sobre ele.

No dia seguinte, Júlia soube se mostrar alegre. Encontrou forças para parecer feliz e ocultar não já a sua melancolia, porém um invencível horror. Desde esse dia, deixou de se considerar uma mulher irrepreensível. Não tinha ela mentido a si mesma? Desde então não era capaz de dissimular, e não podia mais tarde desenvolver uma penetração assombrosa nos delitos conjugais? O seu casamento era a causa dessa perversidade *a priori* que não se exercia ainda sobre coisa alguma. Todavia, já tinha perguntado a si mesma por que havia de resistir a um amante adorado, quando ela se entregava, a despeito do seu coração e do voto da natureza, a um marido que já não amava. Todas as faltas e crimes têm, talvez, princípio num raciocínio errado ou em algum excesso de egoísmo. A sociedade só pode existir pelos sacrifícios individuais que as leis exigem. Aceitar-lhe as vantagens não é obrigar-se a manter as condições que a fazem subsistir? Os desgraçados sem pão, obrigados a respeitar a propriedade alheia, não são mais dignos de lástima do que as mulheres feridas nos votos e na delicadeza dos seus sentimentos.

Alguns dias depois desta cena, cujos segredos ficaram sepultados no leito conjugal, o senhor d'Aiglemont apresentou lorde Grenville à sua mulher. Júlia recebeu Artur com uma polidez fria que fazia honra à sua dissimulação. Impôs silêncio ao coração, velou o seu olhar, tornou a voz firme, e pôde assim conservar-se dona do seu futuro. E depois de ter reconhecido por estes meios, inatos por assim dizer nas mulheres, toda a grandeza do amor que havia inspirado, a senhora d'Aiglemont sorriu à esperança dum pronto restabelecimento e não opôs maior resistência à vontade do marido, que a persuadia a aceitar os cuidados do jovem doutor. Contudo, ela não quis se fiar em lorde Grenville sem ter estudado bem as suas palavras e maneiras e adquirido a certeza de que teria a generosidade de sofrer em silêncio. Tinha sobre ele o mais absoluto poder, de que já abusava; não era ela mulher?

A DECLARAÇÃO

Montcontour é um velho solar situado sobre um desses áureos rochedos que dominam o Loire, não longe do lugar onde Júlia parara em 1814. É um desses pequenos castelos da Touraine, brancos, lindos, de torrezinhas esculpidas, bordados como uma renda de Malines; um desses castelos em miniatura, que se miram alegres nas águas do rio com os seus ramos de amoreiras, as suas vinhas, as suas escavações, as suas longas balaustradas, os seus mantos de hera e as suas escarpas. Os telhados de Montcontour brilham sob os raios do sol, tudo aí é ardente. Mil vestígios da Espanha tornam em extremo poética essa encantadora habitação: as giestas, as campainhas perfumam a brisa, o ar é acariciador, a terra parece sorrir, e por toda a parte sente-se a alma envolta em suaves magias, tornando-a preguiçosa, apaixonada, amolecendo-a, embalando-a. Esta formosa e suave região adormece as dores e desperta as paixões. Ninguém se conserva frio sob esse céu puro, diante dessas águas cintilantes. É onde se perde toda a ambição e se adormece no seio duma tranquila felicidade, como o sol ocultando-se no seu manto de púrpura e azul.

Numa serena tarde do mês de agosto de 1821, duas pessoas subiam os caminhos pedregosos que recortam os rochedos sobre os quais está assente o castelo e se dirigiam para o ponto mais alto, a fim de apreciar das alturas os inúmeros recantos que se descerram. Essas duas pessoas eram Júlia e lorde Grenville; Júlia parecia, porém, outra mulher. A marquesa apresentava sadias cores. Seus olhos vivificados por um poder fecundo brilhavam através de um vapor úmido, semelhante ao fluido que dá aos olhares das crianças encantos irresistíveis. Sorria de prazer, sentia-se feliz e compreendia a vida. No seu modo de andar, era fácil ver que nenhum sofrimento tornava dolorosos como outrora os seus mínimos movimentos, os seus gestos e as suas palavras. Sob a sombrinha de seda branca que a protegia contra os raios quentes do sol, assemelhava-se a uma noiva envolta pelo véu, a uma virgem pronta a se entregar aos encantos do amor. Artur conduzia-a com um cuidado de amante, guiava-a como se guia uma criança, levava-a pelo melhor caminho, fazia-lhe evitar as pedras, mostrava-lhe alguma vista encantadora ou a colocava diante duma flor, sempre movido por um perpétuo sentimento de bondade, por uma intenção delicada, por um conhecimento íntimo do bem-estar dessa mulher, sentimentos que pareciam ser-lhe inatos, tanto ou mais talvez que o movimento necessário à sua própria existência. A doente e o seu médico caminhavam no mesmo passo sem parecerem admirados do acordo que parecia existir entre eles, desde o primeiro dia que caminharam ao lado um do outro; obedeciam a uma mesma vontade, paravam, impressionados pelas mesmas sensações: os seus olhares, as suas palavras correspondiam a mútuos pensamentos. Tendo ambos chegado ao cimo duma vinha, quiseram descansar numa dessas compridas pedras brancas que se extraem continuamente das cavidades praticadas no rochedo; porém, antes de se sentar, Júlia contemplou o panorama.

— Que linda região! — exclamou ela. — Armemos uma tenda e vivamos aqui. Vitor, venha, venha depressa!

O senhor d'Aiglemont respondeu de baixo dando um grito, mas sem se apressar; somente olhava para a mulher de tempos a tempos, quando as sinuosidades do caminho lho permitiam. Júlia aspirou o ar com prazer, erguendo a cabeça e envolvendo Artur num desses olhares expressivos nos quais uma mulher de espírito revela todo o seu pensamento.

— Oh! — tornou Júlia —, desejaria ficar sempre aqui. Pode alguém se cansar de admirar este lindo vale? Sabe o nome deste rio, milorde?

— É o Cise.

— O Cise — repetiu Júlia. — E lá embaixo, na nossa frente, o que é?

— São as colinas do Cher.

— E à direita? Ah! É Tours. Mas veja o admirável efeito que produzem ao longe os sinos da catedral!

Calou-se, e a mão com que designava a cidade deixou-a cair sobre a de Artur. Ambos admiraram em silêncio a paisagem e as belezas daquela harmoniosa natureza. O murmúrio das águas, a pureza do ar e do céu, tudo se combinava com os pensamentos que acudiam aos seus corações amantes e juvenis.

— Oh! Meu Deus, quanto me agrada isto! — repetiu Júlia cada vez mais entusiasmada. — Viveu muito tempo aqui? — tornou ela depois duma pausa.

A estas palavras, lorde Grenville estremeceu.

— Foi ali — respondeu com tristeza, designando uma moita de nogueiras à beira da estrada, que, prisioneiro, via-a pela primeira vez... — Sim, mas eu estava muito triste; esta natureza me pareceu selvagem, e agora...

Calou-se. Lorde Grenville não ousou fitá-la.

— É a si — disse afinal Júlia depois dum longo silêncio — que eu devo este prazer. É preciso estar viva para sentir as alegrias da existência, e até agora não estava eu morta para tudo? Deu-me mais do que a saúde, ensinou-me a avaliar-lhe todo o preço...

As mulheres têm um talento inimitável para exprimirem os seus sentimentos sem empregar palavras demasiado vivas; a sua eloquência está principalmente na voz, no gesto, na atitude e no olhar. Lorde Grenville ocultou a cabeça entre as mãos, porque lágrimas deslizavam-lhe pelas faces. Este agradecimento era o primeiro que Júlia lhe dirigia desde a sua partida de Paris.

Durante um ano inteiro tratara ele da marquesa com a mais completa dedicação. Auxiliado por d'Aiglemont, levara-a às águas d'Aix, depois para as praias de Rochelle. Espiando a cada momento as mudanças que as suas sábias e simples prescrições produziam na constituição arruinada de Júlia, cultivara-a como pode fazer com uma flor rara um horticultor apaixonado. A marquesa parecera aceitar os cuidados inteligentes de Artur com todo o egoísmo duma parisiense habituada às homenagens, ou com a indiferença duma cortesã que não sabe o custo das coisas nem o valor dos homens e os avalia segundo o grau de utilidade que têm para ela.

A influência exercida sobre a alma pela variedade dos lugares é uma coisa digna de reparo. Se infalivelmente a melancolia se apodera de nós quando nos achamos à beira-mar, uma outra lei da nossa impressionável natureza faz com que os nossos sentimentos se purifiquem nas montanhas: a paixão ganha aí em profundidade o que perde em vivacidade. O aspecto da vasta bacia do Loire, a elevação da linda colina onde os dois amantes estavam sentados causavam talvez a deliciosa serenidade em que primeiro saboreavam a felicidade, que se goza adivinhando a grandeza duma paixão oculta sob palavras insignificantes na aparência.

No momento em que Júlia concluía a frase que tão vivamente havia comovido lorde Grenville, uma brisa ciciante agitou a copa das árvores, espalhou pelo ar a frescura das águas. Algumas nuvens encobriam o sol deixando ver todas as belezas daquela encantadora natureza.

Júlia voltou a cabeça para que o jovem lorde não lhe visse as lágrimas, porque estava tão comovida como ele. Não ousou erguer os olhos para Artur, com receio de que ele lesse a imensa alegria desse olhar. O seu instinto de mulher fazia-lhe sentir que naquela hora perigosa devia ocultar o seu amor. Contudo, o silêncio podia ser igualmente temível. Notando que lorde Grenville estava incapaz de pronunciar uma palavra, Júlia prosseguiu docemente:

— Comoveram-no as minhas palavras, milorde. Talvez essa viva expansão seja a maneira como uma alma boa e delicada como a sua se arrepende de ter feito um juízo temerário. Ter-me-ia julgado ingrata, encontrando-me fria e reservada, ou zombeteira e insensível durante esta viagem que felizmente está prestes a terminar. Eu não seria digna de receber os seus cuidados, se não tivesse sabido apreciá-los. Nada esqueci, milorde. Ai de mim!, nada esquecerei, nem a solicitude que o fazia velar por mim como uma mãe vela sobre o filhinho, nem sobretudo a nobre confiança dos nossos colóquios fraternais, a delicadeza do seu procedimento; seduções contra as quais nós nos achamos sem defesa. Milorde, não está no meu poder recompensá-lo...

E dizendo isto, Júlia afastou-se precipitadamente, e lorde Grenville não procurou sequer detê-la. A marquesa parou junto dum rochedo pouco distante, onde se conservou imóvel; as suas emoções foram um segredo para eles próprios. Sem dúvida choraram em silêncio; os cantos dos pássaros, tão alegres, tão pródigos de expressões ternas, ao pôr do sol, aumentaram por certo a violenta comoção que os forçou a separarem-se; a natureza encarregava-se de lhe exprimir um amor de que não ousavam falar.

— Pois bem, milorde — disse Júlia se acercando novamente de Artur numa atitude cheia de dignidade que lhe permitiu pegar-lhe na mão —, pedir-lhe-ei que torne pura e santa a vida que me restituiu. Separar-nos-emos aqui. Sei — acrescentou ela vendo empalidecer lorde Grenville — que, como preço da sua dedicação, vou exigir de si um sacrifício ainda maior do que aqueles cuja extensão eu devia reconhecer melhor... Mas assim é preciso... Não permanecerá em França. Ordenar-lho não é dar-lhe direitos que serão sagrados? — acrescentou Júlia colocando a mão do rapaz sobre o seu coração palpitante.

— Assim é — disse Artur erguendo-se.

Nesse momento, ele mostrou d'Aiglemont com a filha nos braços, que aparecia num caminho oposto perto da balaustrada do castelo.

— Júlia, não lhe falarei do meu amor, as nossas almas compreendem-se perfeitamente. Por muito íntimas e secretas que fossem as alegrias do meu coração, partilhou-as todas. Sinto-o, sei-o, vejo-o. Agora, adquiro a deliciosa prova da constante simpatia dos nossos corações, mas fugirei... Tenho várias vezes calculado muito habilmente os meios de matar aquele homem para poder resistir sempre a esta tentação se me conservasse junto de si.

— Tive o mesmo pensamento — replicou Júlia, deixando transparecer no rosto alterado a expressão duma dolorosa surpresa.

Havia, porém, na voz, no gesto que escaparam à marquesa, tanta virtude, tanta confiança em si própria, e tantas vitórias secretamente ganhas sobre o amor, que lorde Grenville ficou penetrado de admiração. A própria sombra do crime tinha-se desvanecido naquela consciência singela. O sentimento religioso que dominava nessa bela fronte devia sempre expulsar os maus pensamentos involuntários que a nossa natureza imperfeita concebe, mas que mostram ao mesmo tempo a grandeza e os perigos do nosso destino.

— Então incorreria no seu desprezo, e ele me salvaria — tornou Júlia abaixando os olhos. — Perder a sua estima não seria o mesmo que morrer?

Estes dois heroicos amantes permaneceram ainda um momento silenciosos, entregues à sua enorme dor; bons ou maus, os seus pensamentos eram fielmente os mesmos, e entendiam-se tanto nos prazeres como nas dores mais íntimas.

— Não devo me queixar, a desgraça da minha vida foi obra minha — acrescentou a jovem marquesa erguendo para o céu os olhos cheios de lágrimas.

— Milorde! — exclamou o general do seu posto, apontando com a mão. — Foi aqui que nos encontramos pela primeira vez. Talvez já não se lembre! Olhe, ali, embaixo, junto daqueles choupos.

O inglês respondeu com uma rápida inclinação de cabeça.

— Eu devia morrer nova e infeliz — replicou Júlia. — Sim, não creia que eu viva. O desgosto será tão mortal como poderia ser a terrível doença de que me curou. Não me julgo culpada. Não, os sentimentos que concebi por si são irresistíveis, eternos, mas bem involuntários, e eu quero me conservar virtuosa. Contudo, serei ao mesmo tempo fiel à minha consciência de esposa, aos meus deveres de mãe e aos votos do meu coração. Ouça — acrescentou ela com a voz alterada —, nunca mais pertencerei a esse homem, nunca.

E, com um gesto pavoroso de horror e de verdade, Júlia designava o marido.

— As leis do mundo — prosseguiu ela — exigem que lhe torne a existência feliz; obedecerei; serei sua serva; a minha dedicação por ele será sem limites, mas de hoje em diante serei viúva. Não me quero prostituir a meus olhos nem aos do mundo; não serei do senhor d'Aiglemont, nem de nenhum outro. Nada conseguirá de mim, milorde. Eis a sentença que proferi contra mim mesma — disse Júlia fitando Artur com altivez. — É irrevogável, milorde. Deixe-me ainda dizer-lhe que, se cedesse a um pensamento criminoso, a viúva do senhor d'Aiglemont entraria para um convento, ou na Itália, ou em Espanha. Quis a fatalidade que falássemos do nosso amor. Esta confissão era talvez inevitável: mas que seja pela derradeira vez que os nossos corações tenham vibrado tão fortemente. Amanhã, fingirá ter recebido uma carta chamando-o à Inglaterra, e separar-nos-emos para sempre.

Entretanto, Júlia, exausta por este esforço, sentiu-se desfalecer, um frio mortal apoderou-se dela e, por um pensamento bem feminino, sentou-se para não cair nos braços de Artur.

— Júlia! — gritou lorde Grenville.

O grito estridente ressoou como um trovão. O angustioso clamor exprimiu tudo o que o amante, até ali mudo, não pudera dizer.

Ouvindo-o, o marquês acudira apressado e achou-se de súbito entre os dois amantes.

— Que foi? — perguntou o general.

— Não é nada — disse Júlia com esse admirável sangue-frio que a finura natural das mulheres lhes permite mostrar nas grandes crises da vida. — A frescura deste local ia-me fazendo perder os sentidos, e o meu doutor estremeceu de susto. Não sou eu para ele como uma obra de arte ainda por acabar? Tremeu talvez de a ver destruída...

E tomou audaciosamente o braço de lorde Grenville, sorriu ao marido, olhou para a paisagem antes de abandonar o cume dos rochedos e arrastou o seu companheiro de viagem pegando-lhe na mão.

— Eis, certamente, o lugar mais encantador que temos visto — disse ela —; jamais o esquecerei. Veja, Vitor, que extensão, que beleza e que variedade! Este país faz-me conceber o amor.

Rindo exclusivamente, mas de modo a enganar o marido, saltou alegremente para o atalho e desapareceu.

— Pois quê! Já?... — disse Júlia quando se achou longe do senhor d'Aiglemont. — Daqui a um instante, meu amigo, deixaremos de ser o que somos; enfim, cessaremos de viver...

— Vamos devagar — respondeu lorde Grenville —, as carruagens estão ainda longe. Caminharemos juntos, e se nos é permitido falarmos com os olhos, os nossos corações viverão um momento mais.

Passearam no terraço, à beira d'água, à última claridade do dia, quase silenciosamente, trocando palavras vagas, doces como o murmúrio do Loire, mas que revolvem a alma. O sol, ao desaparecer no horizonte, envolveu-os nos seus reflexos vermelhos, imagem melancólica do seu fatal amor. Muito inquieto por não encontrar a carruagem no ponto em que a deixara, o general seguia ou precedia os dois amantes sem se meter na sua conversação. O nobre e delicado procedimento de lorde Grenville durante a viagem destruíra as suspeitas do marquês, e havia algum tempo deixara plena liberdade à mulher, fiado na honestidade do lorde doutor.

Artur e Júlia seguiam ainda no triste e doloroso acordo dos seus corações dilacerados. Havia pouco, quando subiam pelas escarpas de

Montcontour, sentiam ambos uma vaga esperança, uma felicidade inquieta que não ousavam definir; mas, descendo à margem do rio, haviam derrubado o frágil edifício construído na sua imaginação, e sobre o qual nem ousavam respirar, semelhantes às crianças que preveem a queda dos castelos de cartas que levantaram. Não lhes restava a menor esperança.

 Nessa mesma noite, lorde Grenville partiu. O último olhar que lançou à Júlia provou desgraçadamente que, desde o momento em que a simpatia lhes revelara a extensão duma paixão tão forte, tivera razão em desconfiar de si próprio. Quando o marquês d'Aiglemont e sua mulher se acharam no dia seguinte sentados na carruagem sem o seu companheiro de viagem e percorreram com rapidez a estrada, por onde em 1814 passara a marquesa, então ignorante do amor e quase lhe amaldiçoando a constância, ela encontrou mil impressões esquecidas. O coração também tem a sua memória. Há mulheres incapazes de se lembrarem dos mais graves acontecimentos, e que se recordarão durante toda a sua vida de fatos que dizem respeito aos seus sentimentos. Júlia teve uma perfeita reminiscência das menores particularidades, recordou com prazer os mais ligeiros incidentes da sua primeira viagem, e até os pensamentos que lhe haviam ocorrido em certos pontos da estrada. Vitor, novamente apaixonado pela mulher desde que ela recuperara a frescura da mocidade e toda a sua beleza, quis beijá-la; Júlia, porém, afastou-se brandamente e encontrou não sei que pretexto para evitar a inocente carícia. Daí a pouco, causou-lhe horror o contato de Vitor, e para evitar o calor do seu corpo quis passar para o assento da frente para estar só, mas o marido tomou esse lugar. Júlia agradeceu-lhe aquela atenção com um suspiro que o enganou, e esse antigo sedutor de caserna, interpretando a seu favor a melancolia da esposa, obrigou-a nesta mesma noite a falar-lhe com uma firmeza que o subjulgou.

— Meu amigo — disse ela —, como sabe, esteve quase me matando. Se eu ainda fosse uma jovem sem experiência, poderia recomeçar o sacrifício da minha vida; porém sou mãe, tenho uma filha para educar e devo-me tanto a um como a outro. Soframos uma desgraça que nos atinge igualmente. É menos para lastimar do que eu. Não soube já encontrar consolações que o meu dever, a nossa honra comum, e, melhor do que isso, a natureza me proibia? Olhe — ajuntou ela —, esqueceu numa gaveta três cartas da senhora de Sérizy, ei-las aqui. O meu silêncio prova-lhe que tem em mim uma mulher cheia de indulgência e que não lhe exige os sacrifícios a que as leis me condenaram, mas tenho refletido bastante para compreender que os nossos papéis não são idênticos, e que só a mulher está predestinada para a desgraça. A minha virtude repousa sobre princípios determinados e fixos. Saberei ter uma vida irrepreensível, mas deixe-me viver.

O marquês, aturdido pela lógica que as mulheres sabem estudar à luz viva do amor, ficou subjugado pela espécie de dignidade que lhes é natural em tais crises. A repulsão instintiva que Júlia manifestava por tudo que melindrava o seu amor e os votos do seu coração é uma das mais belas coisas da mulher, e provém talvez duma virtude natural que nem as leis nem a civilização jamais conseguirão destruir. Mas quem ousaria censurá-las? Quando elas impuseram silêncio ao sentimento exclusivo que não lhes permite pertencer a dois homens, não são como padres sem crenças? Se alguns espíritos austeros censuram a espécie de transação concluída por Júlia entre os seus deveres e o seu amor, as almas apaixonadas farão disso um crime. Esta reprovação geral acusa ou a infelicidade que aguarda as desobediências às leis, ou então tristíssimas imperfeições nas instituições sobre as quais repousa a sociedade europeia.

A ENTREVISTA

Dois anos se passaram, durante os quais o senhor e a senhora d'Aiglemont viveram como é de uso na sociedade, indo cada um para o seu lado, encontrando-se mais vezes nos salões do que em sua própria casa; elegante divórcio pelo qual terminam muitos casamentos na alta-roda. Uma noite, por milagre, os dois esposos achavam-se reunidos no seu salão. A senhora d'Aiglemont tinha recebido uma das suas amigas para jantar. O general por esse motivo ficara em casa.

— Vai ficar muito contente, senhora marquesa — disse o senhor d'Aiglemont pondo sobre a mesa a xícara onde bebera o café.

O marquês olhou para a senhora de Wimphen dum jeito entre malicioso e triste e acrescentou:

— Vou partir para uma demorada caçada, onde acompanho o monteiro-mor. Durante oito dias, pelo menos, estará completamente viúva, e é o que deseja, creio eu... Guilherme — disse ao criado que apareceu para apanhar as xícaras —, mande atrelar.

A senhora de Wimphen era aquela Luiza a quem a senhora d'Aiglemont quisera aconselhar o celibato. As duas senhoras trocaram um olhar de cumplicidade que provava que Júlia tinha achado na amiga uma confidente das suas mágoas, confidente preciosa e caritativa, porque a senhora de Wimphen era muito feliz com o marido; e, na situação oposta em que se encontravam, talvez que a felicidade de uma fosse garantia da sua dedicação à desgraça da outra. Em semelhante caso, a dessemelhança dos destinos é quase sempre um poderoso vínculo de amizade.

— Está no tempo da caça? — perguntou Júlia, lançando um olhar indiferente ao marido.

Estava-se no fim do mês de março.

— O monteiro-mor caça quando e onde ele quer. Vamos para as florestas reais caçar javalis.

— Tome cuidado, que não lhe suceda algum acidente...

— Uma desgraça é sempre imprevista — replicou Vitor sorrindo.

— A carruagem do senhor marquês está pronta — disse Guilherme.

O general ergueu-se, beijou a mão da senhora de Wimphen e voltou-se para Júlia.

— Se eu morresse vítima dum javali!... — disse num tom de súplica.

— O que significa isto? — perguntou a senhora de Wimphen.

— Aproxime-se — disse a senhora d'Aiglemont a Vitor.

Depois, sorriu como para dizer a Luiza: "Tu vais ver."

Júlia apresentou o pescoço ao marido, que se adiantou para beijá-la, mas a marquesa inclinou-se de tal modo que o beijo conjugal não passou da gola do vestido.

— Pode ser testemunha perante Deus — disse o marquês dirigindo-se à senhora de Wimphen — que necessito dum firmã para obter este ligeiro favor. Eis como minha mulher compreende o amor. Levou-me a isto nem sei por que artifícios... Boa noite!

E saiu.

— Mas o teu pobre marido é deveras bom! — exclamou Luiza logo que se acharam sós. — Ama-te.

— Oh! Não acrescente uma sílaba a essa última palavra. O nome que uso me faz horror...

— Sim, mas Vitor obedece-te plenamente — disse Luiza.

— A sua obediência — respondeu Júlia — é em parte fundada na grande estima que lhe inspirei. Sou uma mulher muitíssimo virtuosa, segundo as leis; torno-lhe a sua casa agradável, fecho os olhos a suas partidas amorosas, nada gasto da sua fortuna, ele pode dissipar os rendimentos à vontade: eu só tenho o cuidado de conservar o capital. A este preço, vivo em paz. Não compreende ou não quer compreender a minha existência. Mas, se dirijo assim meu marido, não é sem temer os efeitos do seu caráter. Sou como o domador de urso que a cada momento treme pela sua vida. Se Vitor julgasse ter o direito de não me estimar mais, eu não ouso pensar no que poderia acontecer, porque é violento, cheio de amor-próprio, de vaidade sobretudo. Se não tem o espírito bastante sutil para tomar um partido sensato numa circunstância delicada em que as suas paixões más estejam em jogo, é fraco de caráter, e matar-me-ia talvez provisoriamente, quite a morrer de desgosto no dia seguinte. Mas essa fatal felicidade não é para recear...

Houve um momento de silêncio, durante o qual os pensamentos das duas amigas volveram para a causa secreta daquela situação.

— Fui bem cruelmente obedecida — disse Júlia lançando um olhar significativo a Luiza. — Todavia, não "lhe" tinha proibido que me escrevesse. Ah! Ele me esqueceu, e teve razão. Seria demasiado funesto que o seu destino fosse despedaçado! Basta o meu! Acreditas, minha querida, que leio os jornais ingleses na esperança unicamente de aí ver o seu nome. Pois bem, ainda não compareceu na Câmara dos Lordes.

— Sabes inglês?

— Não te disse que aprendi?

— Pobre amiga — exclamou Luiza apertando a mão de Júlia —, mas como podes ainda viver?

— Isso é um segredo — respondeu a marquesa com um gesto de simplicidade quase infantil. — Ouve. Tomo ópio. A história da duquesa de... em Londres, sugeriu-me essa ideia. Sabes, Mathurin fez sobre isso um romance. As gotas de láudano que tomo são muito fracas. Durmo. Só tenho sete horas de vigília que consagro à minha filha...

Luiza olhava para o fogo, sem ousar contemplar a pobre amiga cujas misérias acabava de ouvir pela primeira vez.

— Luiza, guarde-me segredo — disse Júlia passado um momento de silêncio.

Nesse instante entrava um criado com uma carta para a marquesa.

— Ah! — exclamou ela empalidecendo.

— Não perguntarei de quem é — disse a senhora de Wimphen.

A marquesa lia e nada ouvia: a sua amiga observou-lhe no rosto, que mudava de cor a cada instante, os mais vivos sentimentos, a mais perigosa exaltação. Por fim, Júlia atirou a carta no fogo.

— Esta carta é abrasadora! Oh! O coração sufoca-me.

Ergueu-se, andou dum lado para o outro; os olhos queimavam-lhe.

— Não saiu de Paris! — exclamou ela.

E continuou em frases entrecortadas que a senhora de Wimphen não ousou interromper.

— Não cessou de me ver nunca. Um olhar dos meus surpreendidos todos os dias dá-lhe a vida. Não sabes, Luiza? Está morrendo e quer me dizer o último adeus, sabe que meu marido se ausentou por alguns dias, e num momento estará aqui. Oh! Sinto-me perdida. Ouve! Fica comigo. Diante de duas mulheres, ele não ousará! Oh! Fica, tenho medo de mim.

— Mas meu marido sabe que jantei na tua casa e deve vir me buscar.

— Antes de saíres, tê-lo-ei mandando embora. Serei o carrasco de nós ambos. Mísera de mim! Julgará que deixei de amá-lo. E essa carta! Minha querida, contém frases que parecem escritas com letras de fogo.

Ouviu-se o rodar duma carruagem.

— Ah! — exclamou a marquesa com uma certa alegria —, ele vem publicamente e sem mistério.

— Lorde Grenville! — anunciou o criado.

A marquesa ficou de pé, imóvel. Vendo Artur pálido, magro e macilento, não havia severidade possível. Ainda que lorde Grenville ficasse vivamente contrariado por não achar Júlia só, pareceu calmo e frio. Mas, para aquelas duas mulheres iniciadas no segredo do seu amor, o seu modo, o som da sua voz, a expressão dos seus olhares tinham um pouco dessa força atribuída ao torpedo. A marquesa e a senhora de Wimphen ficaram como que entorpecidas pela viva comunicação duma dor horrível. O som da voz de lorde Grenville fazia palpitar tão cruelmente a senhora d'Aiglemont, que esta não ousava responder-lhe com medo de lhe revelar a extensão do seu poder sobre ela. Grenville não ousava fitar Júlia, de sorte que a senhora de Wimphen teve que fazer as honras duma conversação sem interesse; lançando-lhe um olhar de profundo reconhecimento Júlia agradeceu-lhe o auxílio que lhe prestava. Então, os dois amantes impuseram silêncio aos seus sentimentos e tiveram de se manter nos limites prescritos pelo dever e pelas conveniências. Daí a pouco anunciaram o senhor de Wimphen; vendo-o entrar, as duas amigas trocaram um olhar e compreenderam, sem se falarem, as novas dificuldades da situação. Era impossível pôr o senhor de Wimphen ao corrente daquele drama, e Luiza não podia apresentar razões plausíveis ao marido, pedindo-lhe para ficar na casa da sua amiga. Quando a senhora de Wimphen punha a capa, Júlia, fingindo ajudá-la, disse-lhe em voz baixa:

— Terei coragem. Tendo vindo publicamente a minha casa, que posso recear? Mas, sem si, no primeiro momento, vendo-o tão mudado, teria caído a seus pés.

— Então, Artur, por que não me obedeceu — disse a senhora d'Aiglemont com voz trêmula, voltando a se sentar num sofá onde lorde Grenville não ousou segui-la.

— Não pude resistir por mais tempo ao prazer de ouvir a sua voz, de estar junto de si. Era uma loucura, um delírio. Já não sou senhor de mim. Consultei-me bem. Estou muitíssimo fraco. Devo morrer. Porém, morrer sem a ter visto, sem a ter ouvido, sem lhe secar as lágrimas, que morte!

Quis afastar-se de Júlia, mas o seu brusco movimento fez cair uma pistola da algibeira. A marquesa fitou a arma com um olhar que nem exprimia paixão, nem qualquer pensamento. Lorde Grenville apanhou a pistola e mostrou-se fortemente contrariado por um incidente que podia passar por uma especulação de apaixonado.

— Artur! — inquiriu Júlia.

— Senhora — respondeu o rapaz baixando os olhos —, vinha cheio de desespero, queria...

Calou-se.

— Queria matar-se em minha casa! — exclamou Júlia.

— Não sozinho — disse ele meigamente.

— Então, meu marido, talvez?

— Não, não — protestou Artur com a voz sufocada. — Mas tranquilize-se, o meu projeto fatal desvaneceu-se. Quando entrei e a vi, senti então a coragem de me calar, de morrer só.

Júlia ergueu-se, lançou-se nos braços de Artur, que, não obstante os soluços da amante, distinguiu suas palavras repletas de paixão.

— Conhecer a suprema ventura e morrer... — disse ela. — Pois bem, seja!

Toda a história de Júlia se continha neste grito profundo, grito de natureza e do amor ao qual as mulheres sem religião sucumbem. Artur agarrou-a e levou-a para um sofá com a violência que se encontra numa felicidade inesperada. Mas, de súbito, a marquesa arrancou-se dos braços do amante, lançando-lhe um olhar fixo duma mulher no auge do desespero, pegou-lhe na não, tomou um castiçal e arrastou-o para o seu quarto de dormir. Depois, chegando junto ao leito onde Helena dormia, afastou brandamente as cortinas e descobriu a filha, pondo a mão diante da vela para que a luz não molestasse as pálpebras transparentes e mal cerradas da criancinha. Helena tinha os braços abertos e sorria mesmo dormindo. Júlia com um olhar mostrou a criança a lorde Grenville. Esse olhar dizia tudo.

"Um marido, nós podemos abandoná-lo ainda que ele nos ame. Um homem é um ser forte, pode encontrar consolações. Podemos desprezar as leis do mundo. Mas uma criança sem mãe!"

Todos estes pensamentos e mil outros mais enternecedores ainda ressumavam naquele olhar.

— Podemos levá-la — disse o inglês num murmúrio —; estimá-la-ei verdadeiramente...

— Mamãe! — chamou Helena acordando.

A esta palavra Júlia desfez-se em lágrimas.

Lorde Grenville sentou-se e permaneceu de braços cruzados, mudo e sombrio.

"Mamãe!" Aquela apóstrofe singela e meiga despertou tantos sentimentos nobres e tantas simpatias irresistíveis que o amor ficou por um momento esmagado sob a voz poderosa da maternidade. Júlia já não era mulher, mas apenas mãe. Lorde Grenville não resistiu por mais tempo, as lágrimas de Júlia venceram-no. Nesse momento, uma porta aberta com violência fez grande ruído e as palavras "Senhora d'Aiglemont, onde está?" ressoaram como o estampido do trovão no coração dos dois amantes.

O marquês tinha voltado. Antes que Júlia pudesse recuperar o sangue-frio, o general dirigia-se do seu quarto para o da esposa. Os aposentos eram contíguos. Felizmente, Júlia fez um sinal a lorde Grenville, que correu para um quarto de vestir cuja porta a marquesa fechou rapidamente.

— Eis-me de volta — disse Vitor. — A caçada não se efetua. Vou me deitar.

— Boa noite — volveu Júlia —, vou fazer o mesmo. Deixe-me portanto despir.

— Está muito aborrecida esta noite. Obedeço-lhe, senhora marquesa.

O general dirigiu-se para seu quarto. Júlia acompanhou-o a fim de fechar a porta de comunicação e correu a liberar lorde Grenville. Havia readquirido toda a sua presença de espírito e pensou que a visita do seu antigo médico era bem natural; podia tê-lo deixado no salão para ir deitar a filha, ia dizer-lhe que se dirigisse para lá sem fazer ruído; mas, quando abriu a porta, soltou um grito lancinante. Os dedos de lorde Grenville tinham sido entalados e esmagados no entalhe da porta.

— Que é que tem? — perguntou o marido.

— Nada, nada — respondeu Júlia —, piquei o dedo com um alfinete.

A porta de comunicação reabriu-se de repente. A marquesa julgou que o marido vinha com interesse nela e amaldiçoou aquela solicitude em que o coração nenhuma parte tomava. Mal teve tempo de fechar a porta do quarto de vestir, e lorde Grenville ainda não tinha conseguido desembaraçar a mão. O general reapareceu de fato mas a marquesa enganava-se, era o seu próprio interesse que o levava ali.

— Podes me emprestar um lenço de seda? O maroto do Carlos não me deixou nem um na gaveta. Nos primeiros dias de nosso casamento, ocupavas-te das minhas coisas com um cuidado tão minucioso que chegavas a me aborrecer. Ah! A lua de mel não durou muito para mim nem para as minhas gravatas. Agora estou entregue aos cuidados dos criados que zombam de mim.

— Aqui está um lenço. Não entrou no salão?

— Não.

— Talvez ainda aí tivesse encontrado lorde Grenville.

— Está em Paris?

— Aparentemente...

— Oh, vou já... ver esse excelente médico...

— Talvez já se tenha retirado — disse Júlia.

O marquês achava-se neste momento no meio do quarto da mulher e cobria a cabeça com o lenço, olhando satisfeito para o espelho.

— Não sei onde estão os criados — disse ele. — Já toquei três vezes para chamar Carlos, e não apareceu. E a sua criada, onde está? Chame-a, quero outro cobertor na cama.

— Paulina saiu — respondeu secamente a marquesa.

— À meia-noite! — tornou o general.

— Dei-lhe licença para ir à Ópera.

— É singular! — replicou o marido. — Pareceu-me vê-la quando subi a escada.

— É possível que tenha voltado — disse Júlia fingindo-se impaciente.

Para não despertar as suspeitas do marido, a marquesa tocou, mas muito de mansinho.

Os acontecimentos dessa noite não foram todos perfeitamente conhecidos; mas devia ter sido tão simples, tão horríveis como são os incidentes vulgares e domésticos que precedem. No dia seguinte, a marquesa d'Aiglemont viu-se obrigada a ficar de cama.

— Que aconteceu de tão extraordinário em tua casa, para que toda a gente fale de tua mulher? — perguntou o senhor de Rouquerolles ao marquês d'Aiglemont, alguns dias depois dessa noite de catástrofes.

— Faze o que te digo, fica solteiro — replicou o senhor d'Aiglemont. — Pegou o fogo nos cortinados do leito onde dormia Helena; minha mulher sofreu um tal abalo que está doente para um ano, diz o médico. Desposa-se uma moça bonita, torna-se feia; desposa-se uma jovem cheia de saúde, adoece; julgamo-la apaixonada, ela é fria; ou então, se é fria na aparência, é realmente tão ardente que nos mata ou nos desonra. Ora a criatura mais meiga se torna caprichosa, ora a jovem que se imagina ingênua e fraca desenvolve contra nós uma vontade de ferro, um espírito de demônio. Estou farto do casamento.

— Ou de tua mulher.

— Isso seria difícil. A propósito, queres ir a S. Tomás d'Aquino comigo ver o enterro de lorde Grenville?

— Singular passatempo. Mas — tornou Rouquerolles — sabe-se afinal a causa da sua morte?

— O seu criado particular pretende que passou uma noite inteira numa janela para salvar a honra da amante; e tem feito um frio diabólico estes dias!

— Esta dedicação seria muito para estimar num finório como nós; mas lorde Grenville era novo e... inglês. Estes ingleses gostam sempre de se tornarem salientes.

— Ora! — acudiu d'Aiglemont. — Esses rasgos de heroísmo dependem da mulher que os inspira, e não foi certamente por causa da minha que esse pobre Artur morreu!

II
Sofrimentos desconhecidos

Entre o pequeno rio de Loing e o Sena, estende-se uma vasta planície cercada pela floresta de Fontainebleau, pelas cidades de Moret, Nemodaur e Montereau.

É uma árida região que oferece apenas à vista alguns montículos; por vezes, entre os campos, alguns quadrados de madeira que servem de abrigo à caça; depois, seguem-se essas linhas sem fim, acinzentadas ou amareladas, peculiares aos horizontes da Sologne, Beauce e do Berri. No meio dessa planície, entre Moret e Montereau, o viajante avista um velho castelo chamado Saint-Lange, cujos contornos não carecem de grandeza nem de majestade. Tem magníficas avenidas de olmeiros, fossos, altas muralhas, jardins imensos e vastas construções senhoriais que, para serem construídas, requeriam os benefícios das cobranças dos impostos, as concessões autorizadas ou as grandes fortunas aristocráticas, destruídas hoje pelo martelo do Código Civil. Se algum artista ou pensador se perder por acaso nesses caminhos cheios de barrancos ou nas terras que cercam a região, perguntará a si mesmo por que capricho foi esse poético castelo lançado naquela savana de trigo, naquele deserto de greda, de marna e de saibro onde a alegria morre, onde infalivelmente a tristeza nasce, onde a alma é incessantemente fatigada por uma solidão profunda, por um horizonte monótono, belezas negativas, mas favoráveis aos sofrimentos que repelem consolações.

Uma jovem senhora, célebre em Paris pela sua graça, beleza e espírito, e cuja posição social tanto como a fortuna estava em harmonia com a sua alta celebridade, veio no fim do ano de 1820, com grande espanto dos habitantes da pequena aldeia situada a uma milha de Saint-Lange, habitar esse castelo. Os rendeiros e os camponeses não viam os donos daquela propriedade desde tempos imemoriais. Apesar de darem rendimento considerável, as terras estavam entregues a um administrador e o castelo, confiado a antigos servos. Portanto, a viagem da senhora marquesa causou certa sensação naquela terra.

Algumas pessoas se dirigiam para a entrada da aldeia e achavam-se agrupadas no pátio duma péssima estalagem, estabelecida numa encruzilhada das estradas de Nemours e de Moret, para verem passar uma caleche caminhando muito devagar, pois a marquesa viera de Paris com os seus cavalos. No assento dianteiro, ia a criada de quarto com uma menina, mais pensativa do que alegre, sentada nos joelhos. A mãe, encostada no fundo, dir-se-ia uma moribunda a quem os médicos mandavam para o campo. A fisionomia dessa mulher nova e delicada contentou muito pouco os políticos da aldeia, que com aquela chegada a Saint-Lange haviam concebido a esperança dum movimento qualquer na comuna. Na verdade qualquer espécie de movimento era visivelmente antipático a essa criatura atormentada.

A personagem mais importante da aldeia de Saint-Lange declarou à noite, na taberna onde bebiam os principais do lugar, que da tristeza impressa no rosto da marquesa se depreendia que devia estar arruinada. Na ausência do senhor marquês, que os jornais designavam como devendo acompanhar o duque d'Angoulême à Espanha, ela ia economizar em Saint-Lange as quantias necessárias para fazer face às perdas devidas a falsas especulações na Bolsa. O marquês era um dos maiores jogadores. Talvez as terras fossem vendidas em pequenos lotes. Haveria então bom negócio a fazer. Cada um devia pensar em contar os seus escudos, tirá-los do esconderijo, ver os recursos de que dispunham a fim de ter a sua parte na divisão de Saint-Lange.

Tal perspectiva pareceu tão bela que as notabilidades do lugar, impacientes por saberem a verdade, pensaram em interrogar os criados do castelo; mas nenhum deles pôde elucidá-los sobre a catástrofe que levava sua patroa, no começo do inverno, para o velho castelo de Saint-Lange, quando possuía outras terras famosas pelo seu aspecto risonho e pela beleza dos seus jardins. O administrador foi apresentar as suas homenagens à marquesa, mas não foi recebido. Depois, apresentou-se um outro administrador, sem melhor resultado.

A senhora marquesa só abandonava o seu aposento enquanto a criada o arrumava, e durante este tempo ficava numa salinha contígua onde jantava, isto é, sentava-se à mesa, olhava para a comida com enjoo e só tomava a quantidade necessária para não morrer de fome. Depois, voltava a se sentar na antiga poltrona onde, logo de manhã, se recostava junto da única janela que clareava o quarto. Apenas via a filha durante os poucos instantes que empregava na sua triste refeição, e ainda assim, a sua presença não parecia agradar-lhe. Só desgostos inauditos poderiam emudecer numa mulher tão nova o sentimento maternal. Nenhum dos criados podia penetrar nos seus aposentos. A criada-grave era a única cujos serviços lhe satisfaziam. Exigia um silêncio absoluto no castelo, e a filha teve de ir brincar para longe. Era-lhe tão difícil suportar o mínimo ruído que até a voz da criancinha a afetava.

A gente da terra preocupou-se muito com essas singularidades; depois, quando se esgotaram todas as suposições possíveis, ninguém mais pensou nessa criatura doente.

A marquesa, entregue a si mesma, pôde portanto conservar-se perfeitamente silenciosa no meio do silêncio que estabelecera em volta de si, e não teve nenhuma ocasião para deixar o quarto forrado de tapeçarias onde falecera sua avó e onde esperava também morrer serenamente, sem testemunhas, sem importunos, sem sofrer as falsas demonstrações dos egoísmos, simulando afeição que, nas cidades, fazem sofrer aos moribundos uma dupla agonia. Esta mulher tinha vinte e seis anos. Em tal idade, uma alma ainda cheia de ilusões poéticas gosta de saborear a morte, quando se lhe afigura benéfica. Mas a morte apresenta-se sempre garrida aos novos: para eles adianta-se e recua, mostra-se e oculta-se; a sua demora tira-lhe todo o encanto, e a incerteza do dia seguinte acaba por lançá-los de novo no mundo, onde encontrarão a dor, que, mais implacável do que a morte, feri-los-á sem se fazer esperar. E esta mulher que se recusava a viver ia sentir a amargura daquela demora no fundo da sua solidão, e fazer, numa agonia moral que a morte não terminaria, uma terrível aprendizagem de egoísmo que devia deflorar-lhe o coração e amoldá-lo ao mundo.

Este ensino cruel e triste é sempre o fruto das nossas primeiras mágoas. A marquesa sofria verdadeiramente pela primeira e única vez na sua vida, talvez. Com efeito, não será um erro crer que os sentimentos se reproduzem? Uma vez despertos, não existem sempre no fundo do coração? Aí adormecem ou despertam ao sabor dos acidentes da vida, mas aí permanecem, e esta permanência modifica necessariamente a alma. Assim, qualquer sentimento existiria apenas um dia, o dia mais ou menos longo da sua primeira tempestade. Assim, a dor, o mais constante dos nossos sentimentos, só seria realmente viva na sua primeira erupção; e as suas outras crises iriam enfraquecendo, ou porque nos fôssemos acostumando a ela, ou por uma lei da nossa natureza que, para se manter viva, opõe a essa força destruidora uma força igual mais inerte, firmada nos cálculos do egoísmo. Mas, entre todos os sofrimentos, a qual pertencerá este nome de dor? A perda dos pais é um desgosto para o qual a natureza preparou os homens; o mal físico é passageiro, não abrange a alma e, se persiste, já não é um mal, é a morte. Se uma mulher nova perde o filhinho recém-nascido, o amor conjugal depressa lhe dará um sucessor. Esta aflição é também passageira. Enfim, esses pesares e muitos outros semelhantes são de algum modo golpes, feridas, mas nenhum afeta a vitalidade na sua essência, e é mister que se sucedam dum modo estranho para matar o sentimento que nos leva a procurar a felicidade. A grande, a verdadeira dor seria, pois, um mal assaz mortífero para abranger o passado, o presente e o futuro, não deixar parte alguma da vida na sua integridade, desnaturar para todo o sempre o pensamento, inscrever-se inalteravelmente nos lábios e na fronte, destruir a alegria, pondo n'alma um elemento de aversão por tudo que se relaciona com o mundo. E ainda para ser imenso, para assim pesar na alma e no corpo, esse mal deveria chegar num momento da vida em que são novas todas as forças da alma e do corpo e fulminar um coração bem vivo. O mal faz, então, uma grande chaga; grande é o sofrimento, e nenhum ser pode destruí-lo sem sofrer alguma poética mudança: ou toma o caminho do céu, ou, se permanece na terra, volta ao mundo para lhe mentir, para aí representar um papel; conhece desde então os bastidores onde deve se retirar para calcular, chorar, gracejar. Depois desta crise solene, já não existem mistérios na vida social, que, desde então, é julgada irrevogavelmente.

Nas mulheres novas da idade da marquesa, essa primeira dor é a mais cruciante de todas e é sempre causada pelo mesmo fato. A mulher, e principalmente a mulher nova, tão grande pela alma como pela beleza, nunca deixa de se consagrar à vida para a qual a natureza, o sentimento e a sociedade a impelem com violência. Se essa vida lhe falta e ela fica na terra, experimenta os sofrimentos mais cruéis, pela razão que torna o primeiro amor o mais belo de todos os sentimentos. Por que não teve nunca esta desgraça o seu pintor nem o seu poeta? Mas poderá pintar-se, poderá cantar-se? Não, a natureza das dores a que dá origem recusa-se à análise e às cores da arte. De resto, esses sofrimentos nunca se confiam; para se consolar uma mulher, é mister saber adivinhá-los, porque, sempre amarga e religiosamente sentidos, permanecem na alma, como uma avalanche que, se precipitando sobre uma encosta, esmaga o que encontra até achar um lugar.

    A marquesa estava entregue então a esses sofrimentos que ficarão por muito tempo desconhecidos, porque tudo no mundo os condena, enquanto o sentimento os acalenta, e a consciência duma verdadeira mulher os justifica sempre. Existem dessas dores semelhantes a crianças infalivelmente repelidas por todos, e que estão presas aos corações das mães por vínculos mais fortes que os das que são favorecidas pela natureza. Talvez que essa medonha catástrofe que aniquila tudo que existe além de nós mesmos nunca tivesse sido tão viva, tão completa, tão cruelmente aumentada pelas circunstâncias como acabava de ser para a marquesa. Um homem amado, jovem e generoso, cujos desejos nunca quisera atender a fim de obedecer às leis do mundo, morrera para lhe salvar o que a sociedade chama a "honra de uma mulher". A quem podia ela dizer: "Sofro!" As suas lágrimas teriam ofendido seu marido, causa primeira da catástrofe. As leis, os usos proscreviam esses queixumes; uma amiga ter-se-ia regozijado, um homem tê-los-ia especulado. Não, aquela pobre infeliz só podia chorar à vontade num deserto, devorar o seu sofrimento ou ser devorada por ele, morrer ou destruir qualquer coisa em si mesma, a consciência, talvez.

Havia alguns dias que ela conservava o olhar fito num horizonte limitado onde, como na sua vida futura, nada havia a procurar nem a esperar; onde tudo se abrangia dum só golpe de vista, e onde encontrava as imagens da fria desolação que lhe dilacerava incessantemente o coração. As manhãs enevoadas, o céu duma pálida claridade, as nuvens correndo perto da terra sob um pálio acinzentado convinham às faces da sua doença moral. Não se lhe comprimia o coração; não se achava mais ou menos definhado; a sua natureza fresca e florida ia-se petrificando pela ação lenta duma dor intolerável, porque não tinha fim.

Sofria por si apenas. E sofrer assim não é encarnar-se no egoísmo? Por isso, tenebrosos pensamentos lhe atravessavam a consciência. Interrogava-se de boa-fé e achava-se, ferindo-a, duplicada. Havia nela uma mulher que raciocinava e outra que sentia, uma que sofria e outra que não queria sofrer. Recordava-se das alegrias da sua infância, que correra sem que lhe sentisse a felicidade, e cujas límpidas imagens lhe sacudiam em tropel como para lhe acusar as decepções dum casamento conveniente aos olhos do mundo e horrível na realidade. Para que lhe tinham servido o pudor da sua mocidade, os prazeres represados e os sacrifícios feitos ao mundo? Apesar de tudo nela exprimir e esperar o amor, perguntava a si mesma de que serviria agora a harmonia dos seus movimentos, o seu sorriso, a sua graça? A sua própria beleza era-lhe insuportável como uma coisa inútil. Via com horror que não poderia tornar a ser uma criatura completa. O seu outro eu já perdera a faculdade de gozar as impressões novas que dão tanta alegria à vida? De futuro, a maior parte das suas sensações passariam num momento, e muitas das que outrora a comoviam lhe era indiferentes. Depois da infância da criatura vem a infância do coração. O seu amante levara para o túmulo essa segunda infância. Tão moça ainda e já tinha completa mocidade da alma que dá a tudo na vida um outro valor e sabor. Não conservaria em si um princípio de tristeza, de desconfiança que alteraria as suas comoções, se alguma coisa no mundo podia lhe restituir a felicidade que esperava e sonhara tão bela? As primeiras lágrimas verdadeiras apagavam esse fogo celeste que ilumina as primeiras comoções do coração; ela sofreria sempre por não ser o que poderia ter sido. Desta crença devia emanar a amarga repugnância que leva a desviar a cabeça quando de novo o prazer se apresenta.

Apreciava agora a vida como um ancião prestes a deixá-la. Apesar de se sentir jovem, o peso dos seus dias sem alegria caía-lhe na alma, esmagava-a, envelhecia-a antes do tempo. Perguntava ao mundo, num grito de desespero, o que lhe daria em troca do amor que a ajudara a viver e estava perdido. Perguntava a si mesma se nos seus amores esvaecidos, tão castos, o pensamento não fora mais criminoso do que o ato. Fazia-se culpada pelo gosto de insultar a sociedade e para se consolar de não ter tido, com aquele que pranteava, essa perfeita comunicação que, unindo duas almas, diminui a dor da que fica com a certeza de ter gozado plenamente a felicidade, de se ter entregue inteiramente, de conservar em si o cunho da que já não existe. Achava-se descontente como uma atriz que não interpretou bem o seu papel, porque essa dor atacava-lhe todas as fibras, o coração e a cabeça. Se a natureza se achava contrariada nos seus mais íntimos desejos, também a vaidade estava ferida, bem como a bondade que leva a mulher a se sacrificar. Depois, agitando todas as questões, movendo todos os motores de diferentes existências que nos dão as naturezas social, moral e física, tornava tão fracas as forças da sua inteligência que entre tantas reflexões contraditórias não optava por nenhuma. Assim, por vezes, quando caía o nevoeiro, abria a janela, permanecendo junto dela sem ideias, respirando maquinalmente o odor úmido e terroso espalhado no ar, de pé, imóvel, idiota na aparência, porque o sussurro da sua dor tornava-a igualmente surda às harmonias da natureza e aos encantos do pensamento.

Um dia, no momento em que era mais forte o brilho do sol, a criada-grave entrou no seu aposento dizendo:

— É a quarta vez que o senhor vigário pergunta pela senhora marquesa, e hoje insiste de tal forma que não sabemos o que lhe responder.

— Quer sem dúvida o dinheiro para os pobres da comuna; entregue-lhe vinte e cinco luíses da minha parte.

— Minha senhora — disse a criada, voltando, passado um momento —, o senhor vigário recusou o dinheiro e deseja lhe falar.

— Que entre! — replicou a marquesa com um movimento de mau humor que anunciava uma triste recepção ao padre de quem queria, sem dúvida, evitar as perseguições por meio duma breve e franca explicação.

A marquesa perdera a mãe ainda muito criança e a educação ressentia-se naturalmente do abandono a que, durante a Revolução, foi relegada à religião na França. A piedade é uma virtude de mulher que só as mulheres transmitem bem, e a marquesa pertencia ao século XVII, cujas crenças filosóficas foram as de seu pai. Não seguia nenhuma prática religiosa. Para ela, um padre era um funcionário público cuja utilidade lhe parecia contestável. Na situação em que se achava, a voz da religião só podia lhe envenenar as mágoas; além disso, não tinha confiança nos vigários de aldeia, nem nas suas luzes. Resolveu por isso pôr aquele no seu lugar, sem cólera, e desembaraçar-se dele à moda dos ricos, por meio dum donativo. O vigário entrou e o seu aspecto não alterou as ideias da marquesa. Viu um homenzinho gordo, de ventre proeminente, rosto corado, mas velho e enrugado, que afetava sorrir, conseguindo-o mal; muito calvo, e os poucos cabelos, que lhe guarneciam a parte inferior da cabeça, eram completamente brancos. Contudo, a fisionomia daquele padre tinha sido a dum homem naturalmente alegre. Os lábios carnudos, o nariz levemente arrebitado, o queixo, que desaparecia numa dupla prega de rugas, testemunhavam um caráter feliz. A marquesa apenas notou os traços principais; mas, às primeiras palavras que o padre lhe disse, ficou admirada da doçura da sua voz; encarou-o mais atentamente e descobriu-lhe sob as sobrancelhas grisalhas uns olhos que tinham chorado. Visto de perfil, notava-se-lhe uma expressão de dor tão venerada que a marquesa encontrou um homem nesse vigário.

— Senhora marquesa, os ricos só nos pertencem quando sofrem; e os sofrimentos duma senhora casada, jovem, bela, rica, que não perdeu filhos nem pais, adivinham-se e são causados por feridas que só a religião pode cicatrizar. A sua alma está em perigo, senhora marquesa. Não me refiro neste momento à outra vida que nos espera! Não, eu não estou no confessionário. Mas não é meu dever esclarecê-la sobre o futuro da sua existência social? Perdoará, portanto, a um velho uma importunidade cujo fim é a sua felicidade, senhora marquesa.

— A felicidade, senhor, deixou de existir para mim. Pertencer-lhe-ei muito breve, como disse, mas para sempre.

— Não, senhora marquesa, não há de morrer do desgosto que a oprime e lê-se isto no seu rosto. Se tivesse de morrer, não estaria em Saint-Lange. Um pesar certo causa mais depressa a morte do que esperanças enganadas. Conheci dores bem mais intoleráveis e profundas que não causaram a morte.

A marquesa fez um sinal de incredulidade.

— Senhora, sei dum homem cuja desgraça foi tão grande que os prazeres da senhora marquesa pareceriam coisa à toa comparados com os dele...

Ou porque aquela longa solidão começasse a pesar-lhe, ou porque a interessasse a perspectiva de poder desabafar num coração amigo os seus dolorosos pensamentos, Júlia olhou para o padre dum modo interrogativo sobre o qual não podia haver equívoco.

— Senhora marquesa — tornou ele —, esse homem era pai duma família numerosa de que só restavam três filhos. Tinha perdido sucessivamente os pais, depois uma filha e a esposa, ambas muito adoradas. Vivia só na província num pequeno domínio onde por muito tempo fora feliz. Os seus três filhos estavam no exército, e cada um deles tinha um posto proporcionado ao seu tempo de serviço. Durante os Cem-Dias, o mais velho passou para a guarda, e fizeram-no coronel; o segundo era comandante dum batalhão de artilharia; e o mais moço, dum esquadrão de dragões. Senhora marquesa, o amor desse pai e desses filhos era recíproco. Se conhecesse bem a indiferença dos rapazes que, levados pelas suas paixões, nunca têm tempo para se consagrarem ao afeto da família, a senhora marquesa compreenderia por um único fato a intensidade da sua afeição para com um pobre velho isolado que só vivia por eles e para eles. Mas também nunca tinha sido para eles nem fraco, o que diminui o respeito dos filhos, nem injustamente severo, o que os melindra, nem avaro de sacrifícios, o que faz perder a amizade. Não, ele tinha sido mais do que um pai: era um irmão, um amigo. Enfim, quis se despedir dos filhos em Paris antes de partirem para a Bélgica; queria se assegurar se tinham bons cavalos, se alguma coisa lhes faltava. Partiram, o pai voltou para casa. A guerra começa, recebe cartas escritas de Fleurs, de Ligny, tudo ia bem. Dá-se a batalha de Waterloo, a senhora marquesa conhece o resultado. Num momento toda a França se vestiu de luto. Todas as famílias estavam na mais profunda ansiedade. Ele esperava; não tinha tréguas nem repouso; lia os jornais, ia ao correio todos os dias. Uma tarde, anunciam-lhe o criado do seu filho coronel. Vê esse homem montando o cavalo que pertencera ao filho; não havia pergunta a fazer: o coronel morrera cortado em dois por uma bala de artilharia. Nessa mesma noite chega a pé o criado do mais novo; esse morrera no dia seguinte ao da batalha. Enfim, à meia-noite, um artilheiro anunciou ao desgraçado pai a morte do último filho, em que já concentrava toda a vida. Sim, senhora marquesa, tinham morrido todos.

Depois duma pausa, o padre, tendo vencido a sua enorme comoção, acrescentou docemente estas palavras:

— E o pai ficou vivo. Compreendeu que se Deus o conservara na terra, devia continuar a sofrer, e sofre, porém lançou-se no seio da religião. Que podia ser ele?

A marquesa ergueu os olhos para o rosto do vigário, sublime de tristeza e resignação, e aguardou esta palavra que lhe arrancou as lágrimas:

— Padre, senhora marquesa; ele estava sagrado pelas lágrimas antes de o ser aos pés do altar.

Durante um instante reinou um profundo silêncio. A marquesa e o padre olhavam pela janela para o horizonte brumoso como se aí pudesse ver aqueles que já não existiam.

— Não padre numa cidade, porém simples vigário no campo — replicou ele.

— Em Saint-Lange — disse a marquesa enxugando os olhos.

— Sim, senhora marquesa.

Nunca a majestade da dor se oferecera tão grande aos olhos de Júlia; e esta simples resposta feriu-lhe o coração como o peso duma dor infinita. Essa voz que ressoava tão suavemente aos seus ouvidos perturbava-lhe a alma. Ah! Era bem a voz da desgraça, essa voz plena, grave e que parece exalar penetrantes fluidos.

— Senhor — disse quase respeitosamente a marquesa —, se eu não morrer, que será de mim?

— Não tem uma filha?

— Tenho — respondeu Júlia com frieza.

O cura lançou-lhe um olhar semelhante ao do médico a um doente em perigo e resolveu empregar todos os esforços para disputá-la ao gênio do mal que sobre ela já estendia a mão.

— Devemos viver com os nossos sofrimentos, senhora marquesa, e só a religião nos oferece verdadeiras consolações. Permitir-me-á que volte a fazer ouvir a voz dum homem que sabe simpatizar com todas as suas penas, e que, me parece, nada tem de assustador?

— Sim, venha. Agradeço-lhe por ter pensado em mim.

— Então, senhora marquesa, até breve.

Esta visita aliviou um pouco a alma da marquesa, cujas forças tinham sido violentamente excitadas pelo desgosto e pela solidão. O padre deixou-lhe no coração um balsâmico perfume e a salutar repercussão das palavras religiosas. Depois experimentou essa espécie de satisfação que alegra o prisioneiro quando, tendo reconhecido a sua profunda solidão e o enorme peso das suas cadeias, encontra um vizinho que bate no muro fazendo-o produzir um som pelo que se exprimem pensamentos comuns. Tinha um confidente inesperado. Mas logo recaiu nas suas amargas contemplações e pensou, tal como o prisioneiro, que um companheiro de sofrimento não lhe aliviaria os infortúnios. O vigário não tinha querido amedrontar numa primeira visita uma dor tão egoísta; contava, porém, fazer triunfar a religião numa segunda entrevista. Daí a dois dias, voltou com efeito, e o acolhimento da marquesa provou-lhe que a sua visita era desejada.

— Então, senhora marquesa — disse o ancião —, pensou um pouco no conjunto dos sofrimentos humanos? Ergueu os olhos para o céu? Observou essa imensidade de mundos que, diminuindo a nossa importância, esmagando as nossas vaidades, diminui as nossas dores?...

— Não, senhor — replicou Júlia. — As leis sociais pesam-me demasiado sobre o coração e mo dilaceram muito fortemente para que eu possa elevar-me para os céus. Mas as leis talvez não sejam ainda assim tão cruéis como os usos do mundo. Oh! O mundo!

— Nós devemos-lhe, senhora, obediência: a lei é a palavra, e os usos são os atos da sociedade.

— Obedecer à sociedade?... — replicou a marquesa mostrando-se horrorizada. — É daí, senhor, que provêm todos os males. Deus não fez nem uma só lei para a nossa desgraça; porém os homens, reunindo-se, falsearam a sua obra. Nós, as mulheres, somos mais maltratadas pela civilização do que fomos pela natureza. Esta impõe-nos penas físicas que os homens não suavizaram, e a civilização desenvolveu sentimentos que eles enganam incessantemente. A natureza sufoca os seres fracos, os homens condenam-nos a viver para lhes oferecerem uma constante desgraça. O casamento, instituição em que hoje se funda a sociedade, faz-nos sentir todo o seu peso; para o homem a liberdade, para as mulheres os deveres. Nós lhes devemos toda a nossa vida, eles devem-nos apenas raros instantes. Enfim, o homem escolhe, e nós nos submeteremos cegamente. Oh! Senhor, a si posso confiar tudo. Pois bem, o casamento, tal como hoje se efetua, afigura-se-me uma prostituição legal. Daí provieram todos os meus sofrimentos. Mas entre tantas desgraçadas fatalmente ligadas a quem não as compreende, só eu devo guardar silêncio! Fui a própria autora do mal, tendo desejado este casamento.

Calou-se, chorou amargamente e depois prosseguiu:

— Nesta miséria profunda, no meio deste oceano de dor, tinha encontrado um ponto de abrigo onde pousava os pés, onde sofria em sossego; um furacão levou tudo. Eis-me só, sem apoio, demasiado fraca contra as tempestades.

— Nunca somos fracos quando Deus está conosco — disse o padre. — De resto, se não tem afeições que a prendam ao mundo, não terá deveres a cumprir?

— Sempre os deveres! — exclamou a marquesa com impaciência. — Mas onde estão para mim os sentimentos que nos dão a força de os cumprir? A minha alma está esgotada para sempre.

— Não lhe falarei dos sentimentos religiosos que dão a resignação — tornou o padre —; mas a maternidade, senhora marquesa, não é...

— Senhor, consigo serei verdadeira! Não o poderei ser com qualquer outra pessoa — atalhou a marquesa. — Estou condenada à falsidade; o mundo exige contínuas mentiras e, sob pena de opróbrio, ordena que obedeçamos às suas convenções. Existem duas maternidades, senhor. Noutro tempo eu ignorava tais distinções; hoje conheço-as. Sou mãe apenas em parte, mais valera que não o fosse. Helena não é "dele". Oh! Não estremeça! Saint-Lange é um abismo onde se afundaram muitos sentimentos falsos, donde projetaram sinistras luzes e que desmoronaram os frágeis edifícios das leis antinaturais. Tenho uma filha, isso basta; sou mãe, assim o quer a lei. Porém, o senhor, que tem uma alma tão delicadamente compassiva, talvez compreenda os gritos duma pobre mulher que não deixou penetrar no seu coração nenhum sentimento fictício. Deus me julgará, porém não creio faltar às suas leis cedendo aos afetos que me faz brotar n'alma, e eis o que eu encontrei. Um filho, senhor, não é a imagem de dois entes, o fruto de dois sentimentos confundidos livremente? Se não está ligado a todas as fibras do corpo como a todas as ternuras do coração; se não lembra amores deliciosos, o tempo, o lugar onde esses entes foram felizes, a sua linguagem cheia de vibrações humanas e as suas ideias suaves, esse filho é uma criação abortada. Sim, para eles deve ser uma encantadora miniatura onde se encontram os poemas da sua dupla vida secreta; deve oferecer-lhes uma fonte de comoções fecundas, ser ao mesmo tempo todo o seu passado e todo o seu futuro. A minha pobre *Helena é filha de seu pai, a filha do dever e do acaso*; em mim só encontrou o instinto da mulher, a lei que nos leva instintivamente a proteger a criatura nascida em nós. Socialmente falando, sou irrepreensível. Não lhe sacrifiquei a minha vida e a minha felicidade? O seu choro me comove as entranhas; se caísse na água precipitar-me-ia para salvá-la. Mas não a tenho no coração. Ah! O amor me faz sonhar com uma maternidade maior, mais completa; acariciei num sonho esvaecido a criança que os desejos conceberam antes de lhe ter sido dada a vida, enfim essa deliciosa flor nascida n'alma antes de vir à luz.

"Sou para Helena o que, na ordem natural, uma mãe deve ser para a sua progenitora. Quando ela não precisar de mim, tudo estará dito: terminada a causa, cessarão os efeitos. Se a mulher tem o adorável privilégio de estender a maternidade sobre a vida inteira dos filhos, não é ao brilho da sua concepção moral que se deve atribuir essa divina persistência do sentimento? Quando a criança não teve a alma da mãe como primeiro invólucro, a maternidade cessa no seu coração, como sucede com os animais. Isto é verdade, eu sinto-o: à medida que a minha pobre filha cresce, o meu coração se comprime. Os sacrifícios que lhe fiz separaram-me dela, enquanto que para uma outra criança o meu coração teria sido inesgotável, para essa, não haveria sacrifícios, tudo seria prazer. Neste ponto, senhor, a razão, a religião, tudo em mim se encontra sem forças contra os meus sentimentos. Faz mal em querer morrer a mulher que não é mãe nem esposa, e que, para sua desgraça, entreviu o amor nas suas infinitas belezas, a maternidade na sua felicidade sem limites? Que será dela? Posso dizer-lhe o que ela experimenta! Cem vezes durante o dia, cem vezes durante a noite, um estremecimento abala-me o cérebro, o coração, o corpo, quando alguma recordação muito fracamente combatida me reaviva as imagens duma felicidade que suponho maior do que na realidade é. Essas fantasias cruéis fazem amortecer os meus sofrimentos, e pergunto a mim mesma: "O que teria sido a minha vida, 'se'..."

Júlia ocultou o rosto nas mãos e rompeu a chorar.

— Aqui tem o fundo do meu coração! — prosseguiu. — Um filho "dele" ter-me-ia feito aceitar as mais horríveis desgraças de Deus, que morreu sob o peso de todas as culpas do mundo, perdoar-me-á este pensamento mortal para mim; mas o mundo, sei bem que é implacável: para ele, as minhas palavras são blasfêmias; insulto todas as suas leis.

"Ah! Queria fazer uma guerra a esse mundo para lhe renovar e destruir as leis e os usos! Não me feriu ele em todos os meus sentimentos, em todos os meus desejos, em todas as minhas esperanças, no futuro, no presente, no passado? Para mim, o dia é cheio de trevas; o pensamento, um gládio; o coração, uma chaga; a minha filha, uma negação. Sim; quando Helena me fala, queria ouvir-lhe outra voz; quando ela me fita, eram outros olhos que lhe queria encontrar. Ela me atesta tudo que deveria ser, tudo que não é. É-me insuportável! Sorrio-lhe, tento compensá-la dos sentimentos que lhe roubo.

"Sofro! Oh! Senhor, sofro demasiado para poder viver. E passarei por ser uma mulher virtuosa! E não cometi faltas! E respeitar-me--ão! Combati o amor involuntário ao qual não devia ceder; mas, se conservei a minha fé física, conservei por acaso o coração? Esse pertenceu a um só ente. E a minha filha não engana. Existem olhares, uma voz, gestos de mãe cuja força forma a alma das crianças; e a minha pobre filhinha não sente o meu braço estremecer, a minha voz tremer, os meus olhos se suavizarem quando a fito, quando lhe falo ou lhe pego. Lança-me olhares acusadores que eu não sustento. Por vezes tremo de encontrar nela um tribunal onde serei condenada sem ser ouvida. Permita o céu que não se avive um dia o ódio entre nós! Grande Deus! Abri-me antes o túmulo, deixai-me acabar em Saint-Lange. Quero ir para um outro mundo onde encontrarei a alma irmã da minha, onde serei completamente mãe! Oh! Perdão, senhor, estou louca. Estas palavras sufocam-me, por isso as disse. Ah! Também chora! Não me despreza. Helena! Helena! Minha filha, vem cá!", exclamou Júlia com uma espécie de desespero, ouvindo a filha que voltava do passeio.

A pequenina entrou rindo e gritando; tinha na mão uma borboleta que apanhara, mas, vendo a mãe lavada em lágrimas, calou-se, aproximou-se e deixou que a beijasse na fronte.

— Há de ser muito linda — disse o padre.

— É o retrato vivo do pai — replicou a marquesa beijando a filha com a calorosa expressão de quem paga uma dívida ou dissipa um remorso.

— Está muito quente, mamãe.

— Vai, meu anjo, deixa-nos — respondeu a marquesa.

A criança afastou-se sem pesar, sem olhar para a mãe, quase feliz por deixar de ver um rosto triste e compreendendo já que os sentimentos que expressava lhe eram contrários. O sorriso é o apanágio, a linguagem, a expressão da maternidade. A marquesa não podia sorrir. Corou olhando para o padre: esperava mostrar-se mãe, mas nem ela nem a filha tinham sabido mentir. Com efeito, os beijos duma mulher sincera têm um mel divino que parece pôr nessa carícia uma alma, um fogo sutil que penetra o coração. Os beijos privados dessa unção saborosa são ásperos e secos. O padre sentira a diferença: pôde sondar o abismo que se encontra entre a maternidade da carne e a maternidade do coração. E tendo lançado à marquesa um olhar perscrutador, disse:

— Tem razão, minha senhora, ter-lhe-ia valido muito mais estar morta...

— Ah! Compreende os meus sofrimentos, bem vejo — respondeu Júlia —, visto que, apesar de padre cristão, adivinha e aprova as funestas resoluções que me inspiram. Sim, quis suicidar-me; porém me faltou a coragem necessária para cumprir o meu desígnio. O corpo foi fraco quando a alma era forte, e, quando a mão já não tremia, a alma vacilava! Ignora o segredo destes combates e destas alternativas. Sou, sem dúvida, bem tristemente mulher, sem persistência nas minhas vontades, forte somente para amar. Desprezo-me a mim mesma! Uma noite, quando os criados todos dormiam, dirigi-me corajosamente ao tanque; aí chegando, a minha natureza fraca teve horror da destruição. Confesso-lhe as minhas fraquezas. Quando me achei de novo no leito, envergonhei-me de mim mesma, tornei-me corajosa. Num desses momentos, tomei láudano, mas sofri e não morri. Julgava ter tomado todo o conteúdo do frasco e detivera-me no meio.

— Está perdida, pobre senhora — disse o padre gravemente e muito comovido. — Voltará para o mundo e enganá-lo-á; procurará encontrar nele o que considera como uma compensação aos seus pesares; depois há de sofrer um dia o tormento dos seus prazeres...

— Eu? — exclamou a marquesa. — Entregar ao primeiro devasso que soubesse representar a comédia duma paixão, as derradeiras, as mais preciosas riquezas do meu coração, e corromper a minha vida por um momento de duvidoso prazer? Não, a minha alma consumir-se-á numa chama pura.

"Senhor, todos os homens têm os sentidos do seu sexo; porém aquele que tem uma alma delicada é que pode assim satisfazer todas as exigências da nossa natureza, cuja melodiosa harmonia só vibra sob a pressão dos sentimentos. É horrível o meu futuro, bem o sei: a mulher nada é sem o amor, a beleza nada é sem o prazer; mas a sociedade não reprovaria a minha ventura, caso ela ainda se me apresentasse? Devo à minha filha uma mãe honrada. Ah! Sinto-me presa num círculo de ferro donde não poderei sair sem ignomínia. Os deveres da família, cumpridos sem recompensa, aborrecer-me-ão; amaldiçoarei a vida; mas minha filha terá ao menos aparentemente uma boa mãe. Nem sequer desejo viver para gozar o prazer que causa às mães e felicidade dos filhos. Já não creio nisso.

"Qual será a sorte de Helena? A minha, sem dúvida. Que meios têm as mães para assegurar às filhas que o homem a que se entregam será um esposo segundo o seu coração? Cobrem-se de opróbrio as pobres criaturas que se vendem por alguns escudos ao homem que passa: a fome e a necessidade absolvem essas uniões efêmeras; enquanto a sociedade tolera, anima a união imediata, bem mais horrível, duma donzela cândida e dum homem que apenas conhece há três meses; essa é vendida para toda a vida. É certo que o preço é elevado! Sim, não lhe permitindo compensação algumas às suas dores, honram-na; mas, nem isso; o mundo calunia até as mais virtuosas! Tal é o nosso destino visto sob as suas duas faces: uma prostituição pública e a vergonha, uma prostituição secreta e a desgraça. Quanto às pobres moças sem dote, essas endoidecem, morrem; para elas, nenhuma piedade! A beleza, as virtudes não constituem valores nesse bazar humano, e chamam a esse antro de egoísmo. Mas deserdem as mulheres! Ao menos cumpririam assim uma lei da natureza escolhendo as suas companheiras, desposando-as segundo os desejos do coração.

— Senhora marquesa, as suas palavras provam-me que nem o espírito religioso, nem o da família a comovem. Portanto, não hesitará entre o egoísmo social que a fere e o egoísmo da criatura que a fará desejar o prazer...

— A família, senhor, existe porventura? Nego a família numa sociedade que, à morte do pai ou da mãe, partilha os bens e diz a cada um que se governe. A família é uma associação temporária e fortuita, que a morte dissolve prontamente. As leis destruíram as casas, as heranças, a perpetuidade dos exemplos e das tradições. Não vejo senão ruínas em volta de mim.

— Senhora marquesa, só voltará para Deus quando sentir o peso da sua divina mão, e desejo que tenha bastante tempo para se reconciliar com Ele. A senhora procura consolações abaixando os olhos para a terra, em vez de erguê-los para os céus. O filosofismo e o interesse pessoal atacaram-lhe o coração; é surda à voz da religião como são os filhos deste século sem crenças! Os prazeres, eis tudo.

— Farei mentir a sua profecia — volveu a marquesa sorrindo com amargura —, serei fiel àquele que morreu por amor de mim.

— A dor — replicou o padre — só é duradoura nas almas preparadas pela religião.

Abaixou respeitosamente os olhos para não deixar ver as dúvidas que podiam exprimir. A energia dos queixumes que ouvira da marquesa muito o contristara. Reconhecendo o eu humano sob as suas mil formas, desesperou de enternecer aquele coração que a dor endurecera em vez de abrandar e onde a semente divina não devia brotar, porque a sua doce voz era sufocada pelo grande e terrível clamor do egoísmo. Contudo, desenvolveu a constância do apóstolo e voltou por diferentes vezes, sempre levado pela esperança de conquistar para Deus aquela alma tão nobre e orgulhosa, mas desanimou no dia em que descobriu que a marquesa só gostava de conversar com ele porque lhe era agradável falar daquele que já não existia. Não quis rebaixar o seu ministério, mostrando-se complacente para uma paixão; cessou as suas práticas e voltou gradualmente às fórmulas usuais da conversação.

Chegou a primavera. A marquesa encontrou distrações na sua profunda tristeza e ocupou-se das suas terras onde ordenou alguns trabalhos. No mês de outubro, deixou o velho castelo de Saint-Lange, onde se tornara fresca e bela na ociosidade duma dor que, primeiramente violenta como um disco lançado vigorosamente, acabara por amortecer na melancolia, como para o disco depois de oscilações gradualmente mais fracas. A melancolia compõe-se duma série de semelhantes oscilações morais tocando a primeira no desespero e a última no prazer; na mocidade, é o crepúsculo da manhã, na velhice o da noite.

Quando a sua caleche passou pela aldeia, a marquesa recebeu o cumprimento do padre que voltava da igreja para o presbitério, mas, correspondendo-lhe, ela abaixou os olhos e desviou a cabeça para não o ver. O padre tinha demasiada razão sobre esta pobre Artemisa de Éfeso.

III
Aos trinta anos

Um jovem de grande futuro, e que pertencia a uma dessas casas históricas cujos nomes serão sempre, mesmo a despeito das leis, intimamente ligados à glória da França, achava-se no baile em casa da senhora Firmiani. Esta senhora tinha-lhe dado algumas cartas de recomendação para duas ou três das suas amigas em Nápoles. O senhor Carlos de Vandenesse, era esse o nome do jovem, vinha lhe agradecer e fazer as suas despedidas. Depois de se ter desempenhado com inteligência de várias missões, Vandenesse acabava de ser nomeado secretário de um dos ministros plenipotenciários enviados ao congresso de Lybach, e queria aproveitar a viagem para estudar a Itália.

Essa festa era, portanto, uma espécie de despedida aos divertimentos de Paris, a essa vida rápida, a esse turbilhão de pensamentos e de prazeres que muitas vezes se calunia, mas ao qual é tão delicioso se entregar.

Habituado havia três anos a saudar as capitais europeias, e a abandoná-las ao sabor dos caprichos da sua carreira diplomática,

Carlos de Vandenesse contudo poucas saudades levaria deixando Paris. As mulheres já não produziam nele impressão alguma, ou porque considerasse uma paixão verdadeira como devendo tomar muito espaço na vida dum homem político, ou porque as mesquinhas ocupações duma galanteria superficial lhe parecessem muito frívolas para uma alma forte. Em França, nenhum homem, por medíocre que seja, consente em passar por espirituoso simplesmente. Assim, Carlos, apesar de novo (tinha apenas trinta anos), acostumara-se já filosoficamente a ver ideias, resultados, meios, onde outros homens da sua idade notam sentimentos, prazeres e ilusões. Recalcava o calor e a exaltação natural aos jovens no fundo da sua alma, que a natureza criara generosa. Trabalhava para se tornar frio, calculista, para pôr em evidência, sob maneiras amáveis e artifícios de sedução, as riquezas morais que recebera do acaso: verdadeira tarefa de ambicioso; triste papel, empreendido com a mira de atingir o que hoje chamamos uma "bonita posição"... Lançava um último olhar aos salões onde se dançava.

Queria sem dúvida, antes de deixar o baile, gravar-lhe a imagem no espírito, como um espectador não sai do seu camarote na Ópera sem ter visto a cena final. Mas ao mesmo tempo, por uma fantasia fácil de compreender, Carlos de Vandenesse estudava aquele conjunto puramente francês, o brilho e os rostos risonhos daquela festa parisiense, comparando-os pelo pensamento com as fisionomias novas, as cenas pitorescas que o aguardavam em Nápoles, onde tencionava demorar-se alguns dias antes de se dirigir ao seu posto.

Parecia comparar a França, tão mutável e tão fácil de estudar, a um país cujos costumes e lugares apenas conhecia por informações mais ou menos contraditórias, ou por livros em geral malfeitos. Algumas reflexões assaz poéticas, mas que hoje se tornaram muito vulgares, passaram-lhe então pela mente e responderam, a seu despeito, talvez, aos secretos desejos do seu coração, mas exigente do que embotado, mais desocupado que indiferente.

— Eis aqui — dizia entre si — as mulheres mais elegantes, mais ricas, mais distintas de Paris. Veem-se também as celebridades do dia, nomes famosos na tribuna, na aristocracia, na literatura; artistas, homens poderosos. E contudo apenas noto intrigas mesquinhas, amores mortos ao nascer, sorrisos que nada dizem, desdéns sem causa, olhares sem brilho, muito espírito, porém prodigalizado sem um fim útil. Todos esses rostos brancos e rosados procuram menos o prazer do que as distrações. Nenhuma comoção é verdadeira. Para quem queira somente plumas bem-colocadas, gazes leves, lindas *toilettes* e mulheres delicadas; para quem se satisfaça com o lado superficial das coisas, encontra aqui o que deseja, contentando-se com essas frases insignificantes, essas encantadoras momices, e não exigindo sentimento nos corações. Quanto a mim, tenho horror a essas intrigas banais, que terminam em casamentos, prefeituras e outros cargos, ou, tratando-se de amor, por secretas combinações, de tal modo se envergonham de ostentar uma paixão. Não vejo um só desses rostos eloquentes, que anunciam uma alma entregue a uma ideia como a um remorso. Aqui, a saudade ou o pesar se ocultam vergonhosamente sob o gracejo.

"Não vejo nenhuma dessas mulheres com as quais me agradaria lutar, e que nos arrastam para o abismo. Onde encontrar energia em Paris? Um punhal é um objeto curioso que se suspende a um prego dourado e se mete num bonito estojo. Mulheres, ideias, sentimentos, tudo se parece. Já não existem. As classes, os espíritos, as fortunas foram niveladas, e todos vestiram a casaca preta como sinal de luto pela França morta. Não amamos os nossos iguais. Entre dois amantes, há diferenças a pagar, distâncias a preencher. Esse encanto do amor eclipsou-se em 1789! O nosso aborrecimento, os nossos costumes insulsos são o resultado do sistema político. Ao menos, na Itália, tudo é diferente. As mulheres são ainda animais malfazejos, sereias perigosas, sem razão nem lógica, além da dos seus gostos, dos seus apetites, e das quais se deve desconfiar como se desconfia dos tigres..."

A senhora Firmiani veio interromper esse monólogo cujos mil pensamentos contraditórios, incompletos, confusos, são intraduzíveis. O merecimento dum devaneio acha-se todo na sua forma vaga; não é ele uma espécie de vapor intelectual?

— Desejo — disse a dona da casa, tomando-lhe o braço — apresentá-lo a uma senhora que tem o maior empenho em conhecê-lo pelo que tem ouvido a seu respeito.

E conduziu-o a um salão contíguo, onde lhe designou com um gesto, um sorriso e um olhar verdadeiramente parisienses uma senhora sentada perto do fogão.

— Quem é? — perguntou vivamente o conde de Vandenesse.

— Uma mulher a quem, com certeza, já se referiu por mais duma vez para a elogiar ou para dizer mal, uma mulher que vive na solidão, um verdadeiro mistério.

— Se já foi clemente alguma vez na sua vida, por piedade, diga-me o seu nome!

— A marquesa d'Aiglemont.

— Vou tomar lições com ela: soube fazer dum marido bem medíocre um par de França, dum homem sem mérito uma capacidade política. Mas, diga-me, acredita que lorde Grenville se matasse por causa dela como julgaram algumas senhoras?

— Talvez. Depois dessa aventura, falsa ou verdadeira, a pobre senhora esteja bem mudada. Não tornou a frequentar a sociedade. E é alguma coisa, em Paris, uma constância de quatro anos. Se a vê aqui...

A senhora Firmiani calou-se; depois acrescentou com finura:

— Esquecia-me que devo me calar. Vá conversar com ela.

Carlos permaneceu durante um momento imóvel encostado à ombreira da porta, e muito ocupado a examinar uma mulher que se tornara célebre sem que pessoa alguma pudesse apresentar motivos sobre os quais se baseava a sua fama. A sociedade oferece muitas dessas curiosas anomalias. A reputação da marquesa d'Aiglemont não era certamente mais extraordinária que a de certos homens trabalhando sempre numa obra desconhecida: estastísticos considerados hábeis à fé de cálculos que nunca publicaram; políticos que vivem dum artigo de jornal, autores e artistas cujas obras nunca saem das carteiras; gente sábia com aqueles que nada sabem de ciência, como Sganarello é latinista com os que não sabem latim; homens a quem se concede uma capacidade combinada sobre um ponto, quer na direção das artes, quer numa missão importante. Esta frase admirável, "É um especialista", parece ter sido criada para essas espécies de acéfalos políticos ou literários. Carlos demorou-se na contemplação mais tempo do que queria e ficou descontente por se ter preocupado tanto com uma mulher; mas também a presença daquela mulher refutava os pensamentos concebidos pouco antes pelo jovem diplomata ao aspecto do baile.

A marquesa, que tinha então trinta anos, era bela, ainda que de formas franzinas. O seu maior encanto emanava duma fisionomia cuja serenidade traía uma maravilhosa profundidade de alma. Seu olhar cheio de brilho, mas que parecia velado por um pensamento constante, acusava uma vida febril e a mais extensa resignação; e as pálpebras, quase sempre castamente baixadas, raras vezes se erguiam. Se olhava em volta de si, era por um movimento triste, e dir-se-ia que reservava o fogo dos seus olhares para ocultas contemplações. Por isso todo homem superior se sentia curiosamente atraído para aquela mulher meiga e silenciosa. Se o espírito procurava adivinhar os mistérios da reação perpétua que nela se fazia do presente para o passado, da sociedade para a sua solidão, a alma não se interessava menos em se iniciar nos segredos dum coração de algum modo orgulhoso dos seus sofrimentos.

Nela, de resto, nada desmentia as ideias que primeiro inspirava. Como quase todas as mulheres que têm os cabelos compridos, era pálida e perfeitamente branca. A pele, de extraordinária finura, sintoma que raras vezes engana, anunciava uma sensibilidade, justificada pelo conjunto das feições que ofereciam esse maravilhoso acabamento que os pintores chineses espalham nas suas figuras fantásticas. O pescoço era talvez um pouco comprido; mas são esses os mais graciosos, dando às cabeças das mulheres vagas afinidades com as magnéticas ondulações da serpente. Se não existisse um só dos indícios pelos quais os caracteres mais dissimulados se revelam ao observador, bastar-lhe-ia examinar atentamente os meneios da cabeça e os movimentos do pescoço, tão expressivos para apreciar uma mulher.

Na senhora d'Aiglemont, o vestuário estava em harmonia com o pensamento que a dominava. O cabelo em tranças formava-lhe uma coroa no alto da cabeça sem enfeite algum, porque parecia ter renunciado para sempre a toda garridice. Por isso, nunca se surpreendia nela nenhum desses pequenos artifícios de faceirice que tanto prejudicavam as mulheres. Ainda assim, apesar do seu vestido ser extremamente modesto, não ocultava por completo a elegância do corpo, e todo o seu consistia no feitio extremamente distinto cujas pregas numerosas e simples lhe comunicavam uma grande nobreza, se é possível deduzir ideias das disposições de um tecido. Contudo, talvez traísse as indeléveis fraquezas da mulher pelos minuciosos cuidados que lhe mereciam a mão e o pé; porém se os mostrava com algum prazer, teria sido difícil à rival mais maliciosa achar-lhe gestos afetados, de tal maneira pareciam involuntários, ou devidos a um hábito de criança. Esse resto de coquetismo fazia-se até desculpar por uma preciosa indolência.

O conjunto das feições, essa reunião de pequeninas coisas que torna uma mulher feia ou bonita, atraente ou desagradável, apenas se podem indicar sobretudo quando, como sucede com a marquesa d'Aiglemont, a alma é o elo de todos os detalhes, a que imprime uma deliciosa unidade. Do mesmo modo, a sua atitude concordava perfeitamente com o seu rosto e o modo de vestir. Somente numa certa idade, algumas mulheres escolhidas sabem dar uma linguagem à sua atitude. É o desgosto, é a felicidade que dá à mulher de trinta anos, à mulher feliz ou desgraçada, o segredo desse comedimento eloquente? Há de ser sempre um vivo enigma que cada um interpreta ao sabor dos seus desejos, das suas esperanças ou do seu sistema.

A maneira como a marquesa conservava os cotovelos encostados aos braços da poltrona e juntava as extremidades dos dedos de cada mão parecendo brincar com eles; a inclinação da cabeça, a indolência do seu corpo fatigado mas airoso, elegantemente recostado, os seus movimentos cheios de lassitude, tudo revelava uma mulher sem interesse pela vida, que não conheceu os prazeres do amor, mas que os sonhou, e que se curva sob o peso com que a memória a acabrunha; uma mulher que desde muito desesperou do futuro ou de si mesma, uma mulher desocupada sem um único fim na vida.

Carlos de Vandenesse admirou esse magnífico quadro, porém como o resultado dum estudo mais hábil do que têm as mulheres vulgares. Conhecia o marquês d'Aiglemont. Ao primeiro olhar que lançou a essa senhora, que nunca tinha visto, o jovem diplomata reconheceu imediatamente as desproporções, as incompatibilidades, empreguemos o termo legal, demasiado fortes entre essas duas criaturas para que fosse possível à marquesa amar o marido. Entretanto, a senhora d'Aiglemont tinha um procedimento exemplar, e a sua virtude dava ainda maior realce a todos os mistérios que um observador pudesse descobrir na sua pessoa.

Passado o primeiro momento de surpresa, Vandenesse procurou a melhor maneira de se aproximar da senhora d'Aiglemont, e, por uma astúcia de diplomacia assaz vulgar, resolveu embaraçá-la para saber como acolheria uma fatuidade.

— Minha senhora — disse sentando-se junto dela —, uma feliz indiscrição fez-me saber que tive, não sei a que título, a felicidade de ser notado por V. Exa. Devo-lhe tanto mais agradecimentos que nunca fui objeto de semelhante favor. Por tanto, a senhora marquesa será responsável por um dos meus defeitos. De hoje em diante, deixarei de ser modesto...

— Fará mal, senhor — disse a marquesa rindo —; deve-se deixar a vaidade a quem não tenha outra coisa a ostentar.

Estabeleceu-se em seguida uma conversação entre a marquesa e o diplomata, que, segundo o uso, trataram num momento de mil assuntos: a pintura, a música, a literatura, a política, os homens, os acontecimentos e as coisas. Depois, insensivelmente, entraram no eterno assunto das conversações francesas e estrangeiras: amor, sentimentos e mulheres.

— Nós somos escravas.

— Não, são rainhas.

As frases mais ou menos espirituosas trocadas entre Carlos e a marquesa podiam se reduzir a essa simples expressão de todos os discursos presentes e futuros sobre esse assunto. Estas duas frases não significarão sempre tudo num dado momento: "Ame-me. Amá-lo-ei."

— Senhora marquesa — exclamou Carlos de Vandenesse com doçura —, faz-me deixar Paris com imensa saudade. Não encontrarei certamente em Itália horas tão inteligentes como a que acabo de passar.

— Encontrará talvez a felicidade, senhor, que vale bem mais do que todos os pensamentos brilhantes, verdadeiros ou falsos, que se dizem todas as noites em Paris.

Antes de cumprimentar a marquesa, Carlos obteve a permissão de ir lhe fazer as suas despedidas. Considerou-se muito feliz por ter dado ao seu pedido o cunho de sinceridade, quando nessa noite ao deitar-se, e no dia seguinte, durante todo o dia, lhe foi impossível banir aquela mulher do pensamento.

Ora perguntava a si mesmo por que seria que a marquesa o notara, quais podiam ser as suas intenções pedindo para vê-lo; e fazia então comentários intermináveis. Ora parecia-lhe encontrar os motivos dessa curiosidade; então inebriava-se de esperança ou arrefecia, segundo as interpretações que dava a esse desejo delicado, tão comum em Paris. Tão depressa era tudo como era nada. Enfim, quis resistir à atração que o arrastava para a senhora d'Aiglemont; porém foi à sua casa.

Existem pensamentos a que obedecemos sem conhecê-los: estão em nós sem o sabermos. Ainda que essa reflexão possa parecer mais paradoxal do que verdadeira, qualquer pessoa de boa fé encontrará na sua vida mil provas em seu apoio. Dirigindo-se à casa da marquesa, Carlos obedecia a um desses preexistentes textos de que a nossa experiência e as conquistas do nosso espírito não são, mais tarde, senão os desenvolvimentos sensíveis.

Uma mulher de trinta anos possui atrativos irresistíveis para um rapaz: nada há mais natural, mais poderosamente urdido e melhor preestabelecido do que as dedicações profundas de que a sociedade nos oferece tantos exemplos entre uma mulher como a marquesa e um jovem como Carlos de Vandenesse.

De fato, uma donzela tem demasiadas ilusões, demasiada inexperiência, é o sexo o grande cúmplice do seu amor, para que um homem possa se sentir lisonjeado, enquanto uma mulher conhece toda a extensão dos sacrifícios que tem a fazer. Uma é arrastada pela curiosidade, por seduções estranhas às do amor, a outra obedece a um sentimento consciencioso. Uma cede, a outra escolhe. Essa escolha já não é por si uma imensa lisonja? Dotada dum saber quase sempre caramente pago por desgostos, dando-se, a mulher experiente parece dar mais do que a si própria; enquanto a donzela, ignorante e crédula, nada sabendo, nada pode comparar nem apreciar, ela aceita o amor e estuda-o. Uma instrui-nos, aconselha-nos numa idade em que se gosta de ser guiado, em que a obediência é um prazer; a outra tudo quer saber, e onde esta se mostra apenas ingênua, mostra-se profundamente terna. Aquela apresenta-vos um só triunfo, esta obriga-nos a combates perpétuos. A primeira só tem lágrimas e prazeres; a segunda voluptuosidade e remorsos. Para que uma donzela seja a amante, deve estar demasiado corrompida, e então abandona-se com horror; enquanto que uma mulher possui mil meios de conservar ao mesmo tempo o poder e a dignidade. Uma, extremamente submissa, oferece-vos tristes garantias de repouso; a outra perde demasiado para não pedir ao amor as suas mil metamorfoses. Uma desonra-se apenas a si; a outra mata em proveito do amante uma família inteira. A jovem tem apenas uma garridice, e crê ter dito tudo despindo o vestido; porém a mulher tem-nas em grande número e oculta-se sob mil véus; enfim ela acaricia todas as vaidades, e a noviça apenas lisonjeia uma. Há além disto, no amor da mulher de trinta anos, certas indecisões, terrores, receios, perturbações e tempestades que o amor de uma donzela nunca pode oferecer. Chegando a essa idade, a mulher pede ao jovem que lhe restitua a estima que lhe sacrificou; só vive para ele, ocupa-se do seu futuro, deseja-lhe uma linda existência, torna-lha até gloriosa; obedece, pede e ordena, abaixa-se e eleva-se e sabe consolar em mil ocasiões em que à donzela apenas é dado gemer. Enfim além de todas as vantagens da sua posição, a mulher de trinta anos pode se tornar jovem, representar todos os papéis, ser pudica, e embelezar-se até com a própria desgraça. Entre ambas encontra-se o salto incomensurável do previsto ao imprevisto, da força à fraqueza. A mulher de trinta anos satisfaz tudo, e a donzela verdadeira nada pode satisfazer.

Essas ideias desenvolvem-se no coração dum rapaz e dão origem à mais forte das paixões, porque reúne os sentimentos fictícios criados pelos usos aos sentimentos reais da natureza.

O passo mais importante e decisivo na vida das mulheres é precisamente aquele que consideram sempre o mais insignificante. Casada, não pode dispor de si, é a rainha e a escrava do lar doméstico. A santidade das mulheres é inconciliável com os deveres e as liberdades do mundo. Emancipar as mulheres é corrompê-las. Conceder a um estranho o direito de penetrar no santuário do lar, não será colocar-se à sua mercê? Mas, sendo uma mulher que aí o atrai, não é uma falta, ou, para ser mais exato, o começo duma falta? Deve-se aceitar essa teoria com todo o rigor ou absolver as paixões. Até agora, em França, a sociedade soube tomar um *mezzo termino*; zomba das desgraças. Como os espartanos que só castigavam a imperícia, parece admitir o roubo. Mas talvez esse sistema seja muito sensato.

O desprezo geral constitui o mais terrível dos castigos, porque atinge a mulher no coração, e elas devem todas se empenhar em ser respeitadas, porque sem estima deixam de existir: por isso é o primeiro sentimento que elas pedem ao amor. A mais corrupta entre todas exige, mesmo antes de tudo, uma absolvição para o passado, vendendo o futuro e procura fazer compreender ao amante que troca por irresistíveis prazeres as honras que a sociedade lhe recusará. Não há mulher nenhuma que ao receber em sua casa, pela primeira vez, um rapaz, e achando-se só com ele, não conceba algumas dessas reflexões; principalmente se é, como Carlos de Vandenesse, gentil e espirituoso. Igualmente, poucos rapazes deixam de fundar alguns desejos secretos sobre uma das mil ideias que justificam o seu amor nascente por mulheres belas, espirituosas e infelizes como a senhora d'Aiglemont.

Foi portanto deveras perturbada que a marquesa ouviu anunciar o senhor de Vandenesse; e ele se apresentou quase que envergonhado, não obstante a confiança que os diplomatas têm geralmente em si próprios. Mas a marquesa depressa mostrou essa atitude afetuosa sob a qual as mulheres se abrigam das interpretações de vaidade, excluem qualquer pensamento reservado e disfarçam os seus verdadeiros sentimentos sob as formas da polidez. Conservam-se assim o tempo que querem nessa equívoca posição como uma encruzilhada que conduz igualmente ao respeito, à indiferença, ao assombro ou à paixão.

Só aos trinta anos pode uma mulher conhecer os recursos dessa situação. Aproveita-a para rir, gracejar e enternecer-se sem se comprometer. Possui então o tato necessário para atacar no homem todas as cordas sensíveis e estudar os sons que daí tira. O seu silêncio é tão perigoso como as suas palavras. Nunca se pode adivinhar, se nessa idade, é franca ou falsa, se zomba ou se é de boa fé nas suas confissões. Depois de ter dado direito de se lutar com ela, de súbito, com uma palavra, um olhar, um desses gestos cujo poder lhe é conhecido, termina o combate, nos abandona, e fica senhora do nosso segredo, ou para nos imolar com um gracejo, ou para se ocupar de nós, protegida igualmente pela sua fraqueza e pela nossa força.

Embora a marquesa se colocasse, durante essa primeira visita, nesse terreno neutro, soube aí conservar uma alta dignidade de mulher. As suas dores íntimas pairavam sempre sobre a sua alegria falsa como uma nuvem ligeira que esconde imperfeitamente o sol. Carlos de Vandenesse saiu depois de ter experimentado nessa conversação delícias desconhecidas; porém ficou convencido que a marquesa era uma dessas mulheres cuja conquista custa muito caro para que se possa empreender amá-las.

— Seria — pensou consigo, retirando-se —, o amor à distância, uma correspondência a fatigar um subchefe ambicioso! Contudo, se eu quisesse...

Esse fatal "Se eu quisesse!" sempre perdeu os teimosos. Em França, o amor-próprio conduz à paixão. Carlos voltou à casa da senhora d'Aiglemont e pareceu-lhe notar que a sua conversação lhe causava um certo prazer. Em vez de se entregar simplesmente à felicidade de amar, quis representar dois papéis. Tentou se mostrar apaixonado, depois analisar friamente a marcha dessa intriga, ser amante e diplomata; porém era generoso e novo, esse exame devia conduzi-lo a um amor sem limites; porque artificiosa ou natural, a marquesa era sempre mais forte do que ele.

Cada vez que saía de casa da senhora d'Aiglemont, Carlos persistia na sua desconfiança e submetia as situações progressivas pelas quais passava a sua alma a uma simples e severa análise, que matava as suas próprias comoções.

Hoje, dizia consigo, à terceira visita, fez-me compreender que era muito infeliz e só no mundo, e que, se não tivesse a filha, desejaria ardentemente a morte. Mostrou-se de uma resignação perfeita. Ora, não sendo eu nem seu irmão, nem seu confessor, por que me confiou os seus desgostos? Ela ama-me.

Dois dias depois, retirando-se, revoltava-se contra os usos modernos.

— O amor toma a cor do seu século. Em 1822 é doutrinário. Em lugar de se provar, como dantes, por meio de fatos, discutem-no, tornam-no um discurso de tribuna. As mulheres veem-se reduzidas a três meios; primeiro, questionam sobre a nossa posição, recusam-nos o poder de amar tanto quanto elas amam. Coquetismo! Verdadeiro desafio que a marquesa me fez essa noite. Depois fazem-se muito infelizes para excitarem as nossas generosidades naturais ou o nosso amor-próprio. Não se achará qualquer rapaz lisonjeado por consolar um grande infortúnio? Enfim, elas têm a mania da virgindade! A minha boa-fé pode se tornar uma excelente especulação.

Um dia, porém, depois de ter esgotado os seus pensamentos de desconfianças, perguntou a si mesmo se a marquesa seria sincera; se tantos sofrimentos podiam ser representados, para que fingiria uma tal resignação? Vivia numa solidão profunda e devorava em silêncio desgostos que mal deixava adivinhar no acento mais ou menos constrangido duma interjeição. Desde esse momento, Carlos tomou um vivo interesse pela senhora d'Aiglemont. Contudo, dirigindo-se a uma entrevista habitual que se tornara necessária a ambos, hora reservada por um instinto mútuo, Vandenesse achava ainda a marquesa mais hábil do que verdadeira, e a sua última palavra era: "Decididamente, esta mulher é muito fina." Entrou, encontrou a senhora d'Aiglemont, na sua atitude favorita, atitude cheia de melancolia; ergueu para ele os olhos sem fazer um movimento e lançou-lhe um desses olhares que se assemelhavam a um sorriso. A marquesa exprimia uma confiança, uma amizade verdadeira, mas não amor. Carlos sentou-se e nada pôde dizer. Comovia-o uma dessas sensações para as quais não há linguagem possível.

— Que tem? — disse a senhora d'Aiglemont com a voz cheia de ternura.

— Nada... Ah! Sim — tornou o rapaz —, penso numa coisa que talvez nem lhe ocorresse.

— Qual?

— Mas... o congresso terminou.

— E então devia ter ido ao congresso?

Uma resposta direita teria sido a mais eloquente e delicada das declarações; porém Carlos absteve-se de dá-la. A fisionomia da senhora d'Aiglemont atestava uma candura de amizade que destruía todos os cálculos de vaidade, todas as esperanças do amor, todas as desconfianças do diplomata; ela ignorava ou parecia ignorar completamente que fosse amada; e quando Carlos, muito confuso, se examinou a si próprio, foi obrigado a confessar que nada fizera nem dissera que a autorizasse a pensá-lo.

O senhor de Vandenesse encontrou a marquesa durante essa tarde como sempre fazia: simples e afetuosa, verdadeira na sua dor, feliz por ter um amigo, orgulhosa por encontrar uma alma que soubesse compreender a sua; não ia mais além e não supunha que uma mulher se pudesse seduzir duas vezes; mas conhecera ao amor e guardava-o ainda ensanguentado no fundo do seu coração; não imaginava que a felicidade pudesse apresentar as suas fascinações por duas vezes a uma mulher, porque não acreditava unicamente no espírito mas na alma; e para ela o amor não era uma sedução, abrangia todas as seduções nobres.

Nesse momento, Carlos tornou-se jovem, viu-se subjugado pelo brilho dum tão grande caráter, e quis ser iniciado em todos os segredos dessa existência despedaçada mais pelo acaso do que por uma falta. A senhora d'Aiglemont se contentou em lançar um olhar ao seu amigo, ouvindo-o pedir explicação da excessiva mágoa que comunicava à sua beleza todas as harmonias da tristeza; porém esse olhar profundo foi como o selo dum contrato solene.

— Não me faça mais perguntas semelhantes — disse a marquesa. — Faz hoje quatro anos que o homem que eu amava, o único a cuja felicidade teria sacrificado até a estima de mim mesma, morreu e morreu para me salvar a honra. Esse amor cessou novo, puro, cheio de ilusões. Antes de me entregar a uma paixão para a qual me impelia uma fatalidade sem exemplo, fora seduzida pelo que perde tantas moças, por um homem sem merecimento algum, mas de exterior agradável. O casamento desfolhou uma por uma todas as minhas esperanças. Perdi hoje a felicidade legítima e a outra que se chama criminosa, sem nunca a ter conhecido. Nada me resta. Se eu não soube morrer, devo ao menos me conservar fiel às minhas recordações.

A estas palavras, não chorou, abaixou os olhos e torceu ligeiramente os dedos num gesto que lhe era habitual. Isto foi dito simplesmente, mas o tom da sua voz traía um desespero tão profundo como parecia o seu amor, e não deixava a Carlos nenhuma esperança.

Essa terrível existência traduzida em três frases, essa dor tão forte numa mulher tão delicada, esse abismo numa linda cabeça, enfim as melancolias, as lágrimas dum luto de quatro anos fascinaram Vandenesse, que se conservou silencioso e humilde ante aquela grande e nobre mulher: já não via nela as belezas materiais tão deliciosas e perfeitas, mas a alma tão eminentemente sensível. Encontrava enfim esse ser ideal tão fantasticamente sonhado, tão vigorosamente chamado por todos aqueles que concentram a vida numa paixão, a procuram com ardor e morrem muitas vezes sem terem podido gozar esses sonhados tesouros.

Ouvindo aquela linguagem e na presença dessa sublime beleza, Carlos achou mesquinhas as suas ideias. Na impossibilidade de medir as suas palavras à altura daquela cena, ao mesmo tempo tão simples e tão elevada, respondeu com uma frase vulgar sobre o destino das mulheres.

— Minha senhora, é necessário saber esquecer os pesares, ou preparar a sepultura — disse ele.

Porém a razão é sempre mesquinha ao pé do sentimento; uma é naturalmente limitada, como tudo que é positivo, e o outro é infinito. Raciocinar sobre o que se deve sentir é próprio das almas sem penetração. Vandenesse conservou-se portanto silencioso, contemplou longamente a senhora d'Aiglemont e saiu. Entregue a novas ideias que engrandeciam ainda mais a mulher, semelhava-se a ele a um pintor que, depois de ter tomado para tipos os modelos vulgares do seu *atelier*, encontrasse subitamente a "Mnémosyne" do Museu, a mais bela e menos apreciada das estátuas antigas. Carlos ficou profundamente apaixonado. Amou a senhora d'Aiglemont com essa boa-fé da mocidade, com esse fervor que comunica às primeiras paixões uma graça encantadora, uma candura que o homem só encontra em ruínas mais tarde, quando torna a amar; paixões deliciosas quase sempre, saboreadas com delícia pelas mulheres que as fazem nascer, porque nessa bela idade de trinta anos, sumidade poética da vida das mulheres, elas podem abranger toda a sua vida e ver tão bem o passado como o futuro. As mulheres conhecem então todo o preço do amor e gozam-no com o receio de perdê-lo: a sua alma possui ainda a beleza da mocidade que as abandona, e a sua paixão é reforçada a cada instante pela ideia do futuro que as assusta.

— Amo — dizia dessa vez Carlos de Vandenesse ao deixar a marquesa — e, para minha desgraça, encontro uma mulher presa a recordações. A luta é difícil contra um morto, que não se acha presente para fazer tolices, que nunca desagrada, e de quem apenas se veem as boas qualidades. Não será querer destronar a perfeição, tentar matar os encantos da memória e as esperanças que sobrevivem a um amante perdido, precisamente porque só despertou desejos, tudo que o amor tem de mais belo, de mais sedutor?

Esta triste reflexão, devida ao desânimo e ao receio de não vencer, pelos quais começam todas as verdadeiras paixões, foi o último cálculo da sua diplomacia expirante. Desde então, não teve mais pensamentos reservados, tornou-se o joguete do seu amor e se perdeu nos nadas dessa felicidade inexplicável que uma palavra, o silêncio, uma vaga esperança alimenta. Quis amar platonicamente, foi todos os dias respirar o ar que respirava a marquesa d'Aiglemont, incrustou-se quase em sua casa e acompanhou-a por toda parte com a tirania duma paixão, que mistura o seu egoísmo à mais absoluta dedicação.

O amor tem o seu instinto, sabe encontrar o caminho do coração como o mais pequenino inseto caminha para a sua flor com uma vontade irresistível que de nada se assusta. Assim, quando um sentimento é verdadeiro o seu destino não é duvidoso. Não é para lançar uma mulher em todas as angústias do terror, se vem a pensar que a sua vida depende da maior ou menor verdade, da força e persistência do amor do seu amante?

Ora, é impossível a uma mulher, a uma esposa, a uma mãe preservar-se do amor dum rapaz; a única coisa que logrará fazer é deixar de vê-lo no momento em que adivinhe esse segredo do coração, que uma mulher adivinha sempre. Mas esse partido parece demasiado decisivo para que uma mulher o possa tomar numa idade em que o casamento pesa, aborrece e fatiga, em que a afeição conjugal é mais do que frouxa se porventura já não está abandonada pelo marido. Se são feias, ficam lisonjeadas com um amor que as torna belas; se novas e bonitas, a sedução deve ser à altura dos seus encantos, e é então enorme; virtuosas, um sentimento mundanamente sublime as leva a encontrar não sei que absolvição na própria grandeza dos sacrifícios que fazem ao amante e da glória nessa luta difícil. Tudo é cilada. Por isso, nenhuma lição é por demais forte para tão grande tentações.

A reclusão ordenada outrora à mulher na Grécia, no Oriente, e que se tornou moda na Inglaterra, é a única salvaguarda da moral doméstica; porém sob o império desse sistema, os prazeres do mundo fenecem: nem a sociedade, nem a cortesia, nem a elegância dos costumes são então possíveis. As nações deverão escolher.

Alguns meses depois de seu primeiro encontro com Vandenesse, a senhora d'Aiglemont achou a sua vida estreitamente ligada à desse rapaz; admirou-se, sem demasiada confusão, e quase com um certo prazer, de partilhar os seus gostos e pensamentos. Fora ela que tomara as ideias de Vandenesse, ou esse que se submetera aos seus menores caprichos? Nada examinava; e levada pela corrente da paixão, essa adorável mulher dizia para si com a falsa boa-fé do medo:

— Oh, não! Serei fiel àquele que morreu por minha causa.

Pascal disse: "Duvidar de Deus é crer em sua existência." Do mesmo modo, a mulher só se insurge quando se sente vencida. No dia em que a marquesa confessou a si mesma que era amada, teve que flutuar entre mil sentimentos contrários. As superstições da experiência falaram na sua linguagem. Seria feliz? Poderia encontrar a felicidade fora das leis de que a sociedade faz, com ou sem razão, a sua moral! Até ali, só encontrara amargura na vida. Haveria um desenlace feliz possível aos elos que unem dois entes separados por conveniências sociais? Mas também, a felicidade pagar-se-á nunca demasiado caro? Talvez que essa felicidade tão ardentemente desejada, e que é tão natural procurar, a encontrasse por fim! A curiosidade advoga sempre a causa dos amantes. No meio dessa secreta discussão, chegou Carlos de Vandenesse. A sua presença afugentou o fantasma metafísico da razão.

Se tais são as excessivas transformações pelas quais passa um sentimento, mesmo rápido, num rapaz e numa mulher de trinta anos, chega um momento em que as cores se fundem, em que os raciocínios se resumem num só, numa última reflexão que se confunde num desejo e que o alimenta. Quanto maior for a resistência, mais poderosa é a voz do amor. Desde esse momento cada dia ajuntou mais poesia àquele sentimento, revestindo-o das graças da mocidade, reavivando-o, dando-lhe todas as seduções, todos os encantos da vida.

Carlos encontrou a senhora d'Aiglemont pensativa: e quando lhe disse nesse insinuante tom que as suaves magias do coração tornaram persuasivo: "Que tem?", a marquesa não respondeu. Essa encantadora pergunta acusava uma perfeita concordância de almas; e, com o instinto maravilhoso da mulher, a marquesa compreendeu que os queixumes ou a expressão do seu pesar íntimo seriam de algum modo declarações. Se cada uma das suas palavras tinha já uma significação compreendida por ambos, em que abismo não iria ela cair? Leu em si claramente, calou-se, e o seu silêncio foi imitado por Vandenesse.

— Estou doente — disse ela por fim —, assustada com a significação dum momento em que a linguagem dos olhos supre completamente as palavras.

— Minha senhora — replicou Carlos numa voz afetuosa, mas muito comovida —, a alma e o corpo acham-se subordinados. Se fosse feliz, sentir-se-ia bem-disposta. Por que recusa pedir ao amor tudo de que ele a privou? Julga a vida terminada no momento em que, para si, ela começa. Confie-se aos cuidados dum amigo. É tão doce ser amado.

— Já estou velha — respondeu a marquesa —, não teria, portanto, desculpa se não continuasse a sofrer como até aqui. De resto, diz que é preciso amar? Pois bem! Eu não devo nem posso. Além do meu bom amigo, cuja afeição suaviza um pouco a minha triste existência, ninguém me agrada, ninguém seria capaz de apagar as minhas recordações. Aceito um amigo, fugiria dum amante. E porventura seria generoso da minha parte trocar um coração magoado por outro bem novo, acolher ilusões que não me é dado partilhar, causar uma felicidade em que não acreditaria, ou tremeria de perder? Responderia talvez com o egoísmo à sua dedicação e calcularia quando ele sentisse; a minha memória ofenderia a vivacidade dos seus prazeres. Não, acredite-me, um primeiro amor nunca pode ser substituído. Enfim, qual o homem que quereria por semelhante preço o meu coração?

Estas palavras, impregnadas dum horrível coquetismo, eram o último esforço da sensatez.

"Se ele desanimar, então permanecerei só e fiel." Esse pensamento acudiu ao coração daquela mulher e foi para ele o que é o ramo de salgueiro demasiado fraco que o náufrago agarra antes de ser levado pela corrente.

Ouvindo aquela sentença, Vandenesse teve um involuntário estremecimento que fez mais impressão no coração da marquesa do que todas as suas passadas assiduidades. O que mais seduz as mulheres é encontrar nos amantes delicadezas graciosas, sentimentos tão sutis como os seus; porque nelas a graça e a delicadeza são os indícios do "verdadeiro". O gesto de Carlos revelava um amor verdadeiro. A senhora d'Aiglemont conheceu a força da afeição de Vandenesse pela força da sua dor. O rapaz disse com frieza:

— Tem talvez razão. Novos amores, novos desgostos.

Depois mudou de conversação e falou de coisas indiferentes; porém estava visivelmente comovido, olhava para a senhora d'Aiglemont com uma atenção concentrada como se a visse pela primeira vez. Finalmente deixou-a dizendo com a voz alterada:

— Adeus, minha senhora.

— Até breve — disse a marquesa com essa fina faceirice cujo segredo pertence às mulheres de elite.

Vandenesse não respondeu e saiu.

Depois de vê-lo afastar-se, de o não ter já perto de si, a marquesa sentiu-se pesarosa e arrependida. A paixão faz enorme progresso na mulher no momento em que julga ter procedido pouco generosamente ou ter ferido alguma alma nobre. Nunca se deve desconfiar dos maus sentimentos; em questões de amor, são muito salutares; as mulheres só sucumbem sob um rasgo de virtude. "De promessas está o inferno cheio" não é um paradoxo de pregador. Vandenesse esteve uns dias sem aparecer. Todas as tardes, à hora da entrevista usual, a marquesa esperou-o com impaciência cheia de remorsos. Escrever equivalia a uma confissão; de resto, o seu instinto dizia-lhe que ele voltaria. No sexto dia, o criado anunciou-o. Nunca a marquesa tinha ouvido esse nome com maior prazer. A sua alegria assustou-a.

— Castigou-me bem! — disse a senhora d'Aiglemont.

Vandenesse fitou-a com espanto.

— Castiguei-a! — repetiu ele. — E de quê?

Carlos compreendia perfeitamente a marquesa; mas queria se vingar dos sofrimentos que lhe havia infligido, no momento que ela o suspeitava.

— Por que não tem vindo me ver? — perguntou a marquesa sorrindo.

— Não tem visto então ninguém? — disse Carlos para não dar uma resposta direita.

— Os senhores de Rouquerolles e de Marsay estiveram aqui; um, ontem, o outro essa manhã, cerca de duas horas. Também vi a senhora Firmiani e sua irmã.

Outro sofrimento! Dor incompreensível para os que não amam com esse despotismo invasor e feroz cujo mínimo efeito é um ciúme monstruoso, um desejo perpétuo de subtrair o ente adorado a toda a influência estranha ao amor.

— Como! — disse consigo Vandenesse —, ela recebeu visitas, viu pessoas alegres, falou-lhes, enquanto eu permaneci só, infeliz!

Ocultou a sua dor e lançou o seu amor no fundo do coração, como um caixão ao mar. Os seus pensamentos eram desses que não se exprimem; têm a rapidez dos ácidos que matam evaporando-se. Contudo, a fronte cobriu-se de nuvens, e a senhora d'Aiglemont obedeceu ao instinto da mulher, partilhando aquela tristeza sem o conceber. Não era cúmplice do mal que fazia, e Vandenesse depressa o notou. Falou da sua situação, do seu crime, como se fosse uma dessas hipóteses que os amantes gostam de discutir. A marquesa compreendeu tudo, e sentiu-se tão vivamente comovida que não pode conter as lágrimas.

Desde esse momento, penetraram nos céus do amor. O céu e o inferno são dois grandes poemas que formulam os dois únicos pontos sobre os quais gira a nossa existência: a alegria ou a dor. O céu não será sempre uma imagem do infinito dos nossos sentimentos, que só se poderá pintar nos seus detalhes, porque a felicidade é uma só? E o inferno não representa as infinitas torturas das nossas dores de que podemos fazer uma obra de poesia, porque são todas dessemelhantes?

Uma tarde, os dois amantes se achavam sós, sentados perto um do outro e ocupados em contemplar uma das belas fases do firmamento, um desses céus puros em que os últimos raios do sol lançam fracas cores de ouro e púrpura. Nessa hora do dia, as lentas diminuições da luz parecem despertar doces sentimentos, as nossas paixões vibram ternamente, e saboreamos as perturbações de não sei que violência no meio da calmaria. Mostrando-nos a felicidade por meio de imagens vagas, a natureza convida-nos a gozá-la quando a temos perto de nós, ou nos faz lastimá-la quando nos foge. Nesses instantes férteis em encantamentos, sob o dossel dessa luz cujas ternas harmonias se unem a íntimas seduções, é difícil resistir aos desejos do coração que então possuem tão poderosa magia! O pesar torna-se menos sensível, a alegria embriaga e a dor acabrunha. As pompas da noite são o sinal das confissões, que elas animam. O silêncio se torna mais perigoso que a palavra, comunicando aos olhos todo o poder do infinito dos céus, que eles refletem. Se se fala, a mais insignificante palavra possui um poder irresistível. Não há então luz na voz, púrpura no olhar? Não parece que o céu está em nós ou não parece que estamos no céu?

Todavia, Vandenesse e Júlia, era assim que havia alguns dias se deixava chamar familiarmente por aquele a quem gostava de chamar Carlos, falavam ambos, mas o assunto primitivo da sua conversação estava longe deles; e, se já nem sabiam o sentido das suas palavras, ouviam com encantamento os pensamentos secretos que elas disfarçavam. A mão da marquesa estava na de Vandenesse, e abandonava-lhe sem julgar que lhe concedia uma graça.

Inclinaram-se ao mesmo tempo para verem uma dessas majestosas paisagens cobertas de neve, de geleiras de sombras pardacentas que tingem as faltas de montanhas fantásticas; um desses belos quadros cheios de bruscas oposições entre os tons negros e vermelhos que o firmamento apresenta antes que o sol se esconda de vez. Nesse momento, os cabelos de Júlia tocaram no rosto de Vandenesse: ela sentiu esse ligeiro contato, estremeceu violentamente, e ele ainda mais; porque ambos tinham chegado gradualmente a uma dessas crises inexplicáveis em que a alma comunica aos sentimentos uma tão fina percepção que o mais fraco choque faz verter lágrimas se o coração está entregue à tristeza, ou lhe dá prazeres inefáveis se está perdido nas vertigens do amor. Júlia apertou quase involuntariamente a mão do seu amigo. Esta pressão persuasiva deu coragem à timidez do amante. As alegrias do momento e as esperanças do futuro, tudo se fundiu numa comoção, a da primeira carícia, do casto e modesto beijo que a senhora d'Aiglemont deixou depor-lhe na face. Quanto mais insignificante é o favor, mais forte e perigoso se torna. Para desgraça de ambos, não havia aí nem dissimulação nem falsidade. Foi a concordância de duas belas almas, separadas por tudo que é lei, reunidas por tudo que é sedução na natureza. Nesse momento entrou o general d'Aiglemont.

— O ministério caiu — disse o general —, e seu tio faz parte do novo gabinete. Tem assim fortes probabilidades de vir a ser embaixador, Vandenesse.

Carlos e Júlia olharam-se, corando. Esse mútuo pudor foi mais um elo entre eles, ambos tiveram o mesmo pensamento, o mesmo remorso; laço terrível e tão forte entre dois bandidos que acabam de assassinar um homem como entre dois amantes culpados dum beijo. Era preciso responder ao marquês.

— Já não desejo sair de Paris — disse Carlos de Vandenesse.

— Bem sabemos por quê — replicou o general afetando a finura de quem descobriu um segredo. — Não quer abandonar seu tio para se declarar herdeiro do seu pariato.

A marquesa fugiu para o seu quarto, dizendo baixinho a medonha frase acerca do marido:

— É exclusivamente estúpido!

IV
O DEDO DE DEUS

O BIÈVRE

Entre a barreira de Itália e a de Santé, na avenida interior que conduz ao Jardim das Plantas, existe uma perspectiva digna de encantar o artista ou o viajante, mesmo o mais indiferente, subindo-se a uma ligeira eminência a partir da qual a avenida, a que árvores enormes dão sombra, segue com a graça dum caminho florestal verde e silencioso. Vê-se na frente, mesmo aos nossos pés, um vale profundo, povoado de fábricas meio rústicas, mostrando aqui e além alguma verdura, regado pelas águas escuras do Bièvre e dos Gobelins.

Na vertente oposta, alguns milhares de telhados, juntos como a cabeça de uma multidão, ocultam as misérias do bairro Saint-Marceau. A magnífica cúpula do Panthéon, o zimbório embaciado e melancólico do Val-de-Grace dominam orgulhosamente toda uma cidade em anfiteatro, cujos degraus são desenhados esquisitamente pelas ruas tortuosas. Daí, as proporções dos dois monumentos parecem gigantescas; esmagam por assim dizer as pequenas habitações e as mais altas árvores do vale.

À esquerda, o Observatório, através de cujas janelas e galerias passa a claridade produzindo inexplicáveis fantasias, aparece como um espectro negro e descarnado. Mais longe, a elegante lanterna dos Inválidos brilha entre as massas azuladas do Luxemburgo e as torres cinzentas de S. Sulpício. Vistas dali, essas linhas arquiteturais se misturam com a folhagem e a sombra, são submetidas aos caprichos do céu que muda incessantemente de cor, de luz ou de aspecto. Ao longe, os edifícios parecem mobilar o espaço; em volta, serpenteiam árvores ondulantes, estradas rurais. À direita, por um recorte dessa paisagem singular, avista-se a longa superfície branca do canal de S. Martinho, emoldurado de pedras vermelhas, enfeitado de tílias e rodeado de construções verdadeiramente romanas.

No último plano, as vaporosas colinas de Belleville, cobertas de casas e moinhos, confundem os seus acidentes com os das nuvens. Todavia, existe uma cidade, que não se vê, entre a fila de telhados que cercam o vale e esse horizonte tão vago como uma recordação da infância; cidade imensa, perdida como uma voragem entre os altos do hospital de Pitié e do cemitério do Este, entre o sofrimento e a morte. Faz ouvir um curto murmúrio surdo, semelhante ao do oceano, que ruge por detrás duma penedia como para dizer: "Estou aqui."

O sol lança os seus jorros de luz sobre essa face de Paris, purificando-lhe as linhas, pondo os seus reflexos nos vidros, alegrando os telhados, abrangendo as cruzes douradas, branqueando os muros e transformando a atmosfera num véu de gaze; se formam grandiosos contrastes com as sombras fantásticas; se o céu está de um lindo azul, se os sinos tangem, então admira-se dali uma dessas magias eloquentes que a imaginação jamais esquece, de que se fica idólatra apaixonada como dum maravilhoso aspecto de Nápoles, de Istambul ou das Flóridas. Não falta nenhuma harmonia a esse concerto. Ali, murmuram o ruído do mundo e a poética paz da solidão, a voz dum milhão de seres e a voz de Deus. Ali jaz uma capital repousada sob os tranquilos ciprestes do Père-Lachaise.

Por uma manhã de primavera, no momento em que o sol fazia brilhar todas as belezas dessa paisagem, admirava-as eu, encostado a um grande olmeiro cujas flores o vento agitava. E aos aspectos desses soberbos e sublimes quadros, pensava amargamente no desprezo que nós franceses professamos, té nos livros, pelo nosso país de hoje. Amaldiçoava esses pobres ricos que, desgostados da bela França, vão comprar a peso de ouro o direito de desdenhar da pátria, visitando a galope, examinando através dum binóculo, os pontos dessa Itália tornada tão vulgar. Contemplava com amor a Paris moderna, sonhava, quando de repente o ruído dum beijo veio perturbar a minha solidão e afugentou a filosofia.

Na rua paralela à principal, que coroa o rápido declive a cujos pés as águas se agitam, e olhando para além da ponte dos Gobelins, descobri uma dama que me pareceu bastante nova, vestida com a mais elegante simplicidade e cuja fisionomia suave parecia reflectir a alegre felicidade da paisagem. Um bonito rapaz punha no chão o mais lindo menininho que é possível se imaginar, de sorte que nunca me foi dado saber se o beijo ressoara nas faces da mãe, se nas da criança.

Um mesmo pensamento, terno e vivo, brilhava nos olhos, nos gestos, no sorriso dos dois jovens. Enlaçaram-se com tão alegre rapidez e aproximaram-se com uma harmonia de movimento tão maravilhosa que, entregues por completo à sua felicidade, não notaram a minha presença. Mas uma outra criança, descontente, rabugenta, e que lhes voltava as costas, lançou-me uns olhares duma pressão penetrante. Deixando o irmão correr só, ora atrás ora na frente da mãe e do rapaz, essa criança tão bela, tão graciosa como a outra, mas de formas mais delicadas, permaneceu muda, imóvel, e na atitude duma serpente entorpecida. Era uma menina.

O passeio da formosa dama e do seu companheiro tinha um não sei que de maquinal. Contentando-se, por distração talvez, em percorrer o pequeno espaço compreendido entre a ponte e uma carruagem parada na avenida, recomeçaram constantemente o seu curto passeio, parando, fitando-se, rindo ao sabor dos caprichos duma conversação ora animada ou lânguida, ora infantil ou grave.

Oculto pelo grande olmeiro, admirava eu essa deliciosa cena, e ter-lhe-ia, sem dúvida, respeitado os mistérios se não houvesse surpreendido, no rosto da pequena pensativa e taciturna, vestígios dum pensamento mais profundo do que permitia a sua idade. Quando a mãe e o rapaz se voltavam, depois de terem chegado junto dela, inclinava disfarçadamente a cabeça e lançava-lhes, assim como ao irmão, um olhar furtivo verdadeiramente extraordinário. Mas seria impossível explicar a finura penetrante, a ingenuidade maliciosa, a atenção selvagem que animava esse rosto infantil, quando a mãe ou o seu companheiro acariciavam os anéis louros ou o pescoço branco e fresco do menino, quando passava junto deles.

Havia certamente uma paixão de adulto na fisionomia delicada dessa criança singular. Sofria ou pensava. Ora, o que é que profetiza mais seguramente a morte nessas criaturinhas em flor? Será o sofrimento alojado no coração ou o pensamento prematuro devorando-lhes as almas, apenas germinadas? Talvez uma mãe o saiba. Quanto a mim, não conheço nada mais horrível que um pensamento de velho na fronte duma criança; a blasfémia nos lábios duma virgem é menos monstruosa ainda.

Assim, a estulta atitude dessa criança já pensativa, a raridade dos seus gestos, tudo me interessou. Examinei-a curiosamente. Por uma fantasia peculiar aos observadores, comparava-a ao irmão, procurando surpreender as semelhanças e as diferenças que existiam entre eles.

A primeira tinha os cabelos castanhos, os olhos pretos e uma energia precoce que formava grande constraste com a cabeleira loura, os olhos verdes e a graciosa fraqueza do mais novo. A mais velha podia ter uns sete para oito anos, o menino quatro apenas.

Estavam vestidos da mesma maneira. Contudo, olhando com atenção, notei nas golas das roupas uma diferença bastante frívola, mas que mais tarde me revelou todo um romance no passado, e um drama no futuro. E era bem pouca coisa. A gola da pequena tinha apenas um simples recorte, enquanto que a do mais pequenino era enfeitada de lindos bordados, que traíam um segredo do coração, uma predileção tácita que as crianças leem na alma das mães como se tivessem em si o espírito de Deus.

Descuidado e alegre, o lourinho parecia uma menina, tal era a frescura da sua pele branca, a graça dos seus movimentos, a suavidade da sua fisionomia; enquanto que a mais velha, não obstante a energia que aparentava, a beleza das feições e o brilho da sua tez, lembrava um menino doentio. Seus olhos vivos, privados desse vapor úmido, que dá tanto encanto aos olhares das crianças, dir-se-iam secos por um fogo interior. Enfim, a sua brancura tinha um tom mate, oliváceo, sintoma dum vigoroso caráter.

Por duas vezes o irmãozinho foi lhe oferecer, com uma graça tocante, um olhar lindo, uma mímica expressiva que teria encantado Charlet, a pequena trombeta de caça em que soprava de vez em quando; porém, ambas as vezes ela apenas respondera com um olhar feroz a esta frase: "Toma Helena, queres?", dita numa voz carinhosa.

E, sombria e terrível sob uma aparência despreocupada, a pequena estremecia e corava até vivamente quando o irmão se acercava dela; mas o menino não parecia notar o mau humor da irmã, e a sua indiferença de mistura com um certo interesse acabavam de fazer realçar o verdadeiro caráter da infância com a ciência cuidadosa do homem, inscrita já no rosto da pequena, escurecendo-o com sombrias nuvens.

— Mamãe, a Helena não quer brincar! — exclamou o menino, que aproveitou para se queixar num momento em que a mãe e o rapaz se achavam parados na ponte dos Gobelins.

— Deixe-a, Carlos. Bem sabes que ela está sempre zangada.

Estas palavras, proferidas ao acaso pela mãe, arrancaram lágrimas a Helena. Devorou-as em silêncio, lançou ao irmão um desses olhares profundos, que me pareciam inexplicáveis, e contemplou com sinistra atenção o talude no cimo do qual se achava o menino, depois o rio, a paisagem, e a minha pessoa.

Receei ser visto pelo feliz par, cujo colóquio teria sem dúvida perturbado; retirei-me de mansinho, e fui me refugiar por trás duma sebe cuja folhagem me ocultava a todos os olhares.

Sentei-me tranquilamente no talude, contemplando silencioso ora as belezas do lugar onde me achava, ora a pequena selvagem que ainda podia avistar pelos interstícios da folhagem quase ao nível da avenida. Não me vendo, Helena pareceu inquieta; os seus olhos negros procuravam-me na distância, por detrás das árvores, com uma curiosidade indefinível. O que seria eu para ela?

Nesse momento, o riso inocente de Carlos ressoou no silêncio como o canto dum passarinho. O belo mancebo, louro como ele, fazia-o saltar nos braços e beijava-o prodigalizando-lhe esses nomes sem nexo que inventamos carinhosamente para as crianças. A mãe sorria vendo-os e, de vez em quando, dizia, sem dúvida em voz baixa, palavras que lhe saíam do coração; porque o seu companheiro parava de brincar com a criancinha e fitava-a com amor e idolatria.

As suas vozes, confundindo-se com a da criança, tinham um não sei que de acariciador. Eram encantadores todos três. A cena deliciosa, no meio de tão magnífica paisagem, dava-lhe uma suavidade incrível. Uma mulher formosa, risonha, um filho do amor, um homem em plena mocidade, um céu puro, enfim todas as harmonias da natureza se uniam para alegrar a alma. Surpreendi-me a sorrir como se essa felicidade fosse minha. Nove horas. O rapaz, depois de ter beijado ternamente a sua companheira, que se tornara séria e quase triste, voltou para o seu tílburi que avançava devagar guiado por um criado velho. A tagarelice da criança confundiu-se com os últimos beijos que lhe deu o mancebo. Depois deste ter subido para o carro, enquanto a mãe escutava o ruído do tílburi seguindo ao longo da avenida. Carlos correu para a irmã que se achava na ponte, e ouvi-o dizer-lhe na sua voz argentina:

— Por que não foste te despedir do meu bom amigo?

Vendo o irmão no declive do talude, Helena lançou-lhe o olhar mais terrível que jamais refletiu no rosto duma criança e empurrou-o com um movimento de raiva. Carlos escorregou pela vertente, de encontro aos espinhos que o lançaram com violência sobre as pedras agudas do muro, onde partiu a cabeça; e, todo banhado em sangue, foi cair nas águas lodosas do rio. A onda abriu passagem para receber a sua linda cabecinha loira. Ouvi os gritos agudos do pobre menino, mas depressa se perderam sufocados no lodo, onde desapareceu produzindo um som pesado e lúgubre. O raio não é mais rápido do que foi essa queda. Ergui-me num ímpeto e desci por um atalho. Helena, estupefata, soltava gritos estridentes:

— Mamãe! mamãe!

A mãe achava-se ali, junto de mim. Voara como um pássaro. Mas nem os seus olhos nem os meus podiam reconhecer o lugar onde a criancinha tinha desaparecido. A água borbulhava num espaço imenso. O leito do Bièvre tem, naquele recanto, dez pés de lodo. A criancinha tinha de morrer; ali, era impossível salvá-la. Àquela hora, num domingo, o silêncio era absoluto. O Bièvre não tem barcos nem pescadores. Nada vi com que se pudesse sondar o rio, nem pessoa alguma à distância.

Para que havia de falar nesse sinistro acidente ou revelar o segredo daquela desgraça? Helena tinha talvez vingado seu pai. A sua inveja era, sem dúvida, o gládio do Senhor. Contudo, estremeci contemplando a mãe. Que medonho interrogatório não ia sofrer do marido, seu eterno juiz? E arrastava consigo uma testemunha incorruptível. A infância tem a tez diáfana, a fronte transparente; e nela a mentira é como uma luz que lhe ruboriza até o próprio olhar. A desgraçada mulher não pensava ainda no suplício que a aguardava em casa. Olhava para o Bièvre.

Um acontecimento semelhante devia causar um abalo medonho na vida de uma mulher, e eis um dos ecos mais terríveis que, de tempos a tempos, perturbaram os amores de Júlia.

O VALE DA TORRENTE

Passados dois ou três anos, uma noite, depois do jantar, na casa do marquês de Vandenesse, então de luto por seu pai, e que tinha de tratar duma herança, achava-se um notário; não um insignificante notário de Sterne, mas um dos mais altos e gordos de Paris, um desses estimáveis homens que fazem uma tolice com toda a placidez, colocam pesadamente o pé sobre uma ferida desconhecida e perguntam o motivo por que se queixam. Se, por acaso, lhes explicam a razão da sua tolice assassina replicam: "Por minha fé! eu nada sabia!"

Enfim, era um notário honestamente imbecil, que na vida só via atos. O diplomata tinha junto de si a senhora d'Aiglemont. O general saíra antes do fim do jantar para acompanhar os seus dois filhos ao teatro, ao Ambigu-Comique ou ao Gaité. Apesar dos melodramas sobre-excitarem os sentimentos, passam em Paris por serem próprios para crianças e sem perigo neles a inocência triunfa sempre. O pai partira sem esperar a sobremesa, de tal modo a filha e o filho o haviam atormentado para chegarem ao espetáculo antes de levantar o pano.

O notário, o imperturbável notário, incapaz de perguntar a si mesmo por que motivo a marquesa d'Aiglemont mandava para o teatro o marido e os filhos sem os acompanhar, estava, depois do jantar, como que pegado à cadeira. Uma discussão havia demorado a sobremesa, e os criados tardavam em servir o café. Esses incidentes, que tomavam um tempo sem dúvida precioso, impacientavam a senhora d'Aiglemont: poder-se-ia compará-la a um cavalo de raça escarvando o chão antes da corrida. O notário que não percebia absolutamente nada com respeito a mulheres nem a cavalos achava a marquesa simplesmente viva e buliçosa. Encantado por se encontrar em companhia duma senhora da sociedade elegante e dum político célebre, o notário fazia espírito; tomava como aprovação o falso sorriso da marquesa, que cada vez mais se impacientava.

Já o dono da casa, de acordo com a sua companheira, se tinha permitido ganhar silêncio por diferentes vezes quando o notário esperava uma resposta lisonjeira; mas, durante esse silêncio, o demônio do homem olhava para o fogo procurando anedotas. O diplomata correu ao relógio. Por último, a marquesa pusera o chapéu para sair, mas deixava-se ficar. O notário nada via nem entendia; estava encantado consigo mesmo e convencido que interessava a senhora d'Aiglemont a ponto de não a deixar sair.

— Terei certamente essa senhora por cliente — pensava com os seus botões.

A marquesa conservava-se de pé, punha as luvas, torcia os dedos e olhava alternativamente para o marquês de Vandenesse, que partilhava a sua impaciência, e para o notário, que continuava a ter espírito. A cada pausa que o digno homem fazia, o lindo par respirava dizendo por um sinal: "Enfim, retira-se!" Mas qual. Era um pesadelo moral que devia acabar por irritar aqueles dois entes apaixonados, sobre os quais o notário atuava como uma serpente sobre os pássaros, e obrigá-los a algum ato menos cortês. No melhor da narrativa acerca dos ignóbeis meios pelos quais Tillet, homem de negócios então em moda, fizera fortuna, e cujas infâmias eram escrupulosamente pormenorizadas pelo espirituoso notário, o diplomata ouviu soar nove horas; viu que o seu hóspede era decididamente um imbecil, que devia se despedir sem maior cerimônia, e interrompeu-o resolutamene com um gesto.

— Quer as tenazes, senhor marquês? — disse o notário apresentando-as ao seu cliente.

— Não senhor, sou obrigado a despedi-lo. Essa senhora quer ir reunir-se aos seus filhos, e tenho a honra de a acompanhar.

— Já nove horas! o tempo passa como por encanto em tão agradável companhia — disse o notário que falava havia uma hora sem que lhe dessem resposta.

Procurou o chapéu e pôs-se em frente do fogão, dizendo ao seu cliente, sem reparar nos olhares terríveis que lhe lançava a marquesa:

— Em resumo, senhor marquês, os negócios antes de tudo. Mandaremos, pois, amanhã uma intimação a seu irmão para o prevenir; procederemos em seguida ao inventário, e depois...

O notário compreendeu tão mal as intenções do seu cliente, que tomava o negócio em sentido inverso às instruções que acabava de receber. Esse incidente era demasiado delicado para que Vandenesse não retificasse imediatamente as ideias do estúpido notário, e daí se seguiu uma discussão que levou um certo tempo.

— Escute — disse afinal o diplomata a um sinal da marquesa —, o senhor está-me quebrando a cabeça, volte amanhã às nove horas com o meu advogado.

— Mas tenho a honra de lhe observar, senhor marquês, que não temos a certeza de encontrar amanhã o senhor Desroches, e se a intimação não for feita antes do meio-dia, o prazo expira, e...

Nesse momento entrou uma carruagem no pátio, e ouvindo-a, a pobre senhora voltou-se rapidamente para ocultar as lágrimas que lhe acudiam aos olhos. O marquês tocou para avisar que não recebia ninguém; mas o general, voltando imprevistamente do teatro, precedeu o criado e entrou na sala de jantar dando uma das mãos à filha cujos olhos estavam vermelhos e a outra ao menino muito pezaroso e zangado.

— Que foi que lhes sucedeu? — perguntou a mulher ao marido.

— Dir-lho-ei mais tarde — replicou o general dirigindo-se para um gabinete cuja porta estava aberta e onde havia jornais.

A marquesa, impaciente, deixou-se cair com desespero numa poltrona.

O notário, que se julgou obrigado a tornar-se amável com as crianças, perguntou num tom gracioso ao pequeno:

— Então, meu menino, qual foi o espetáculo que viu?

— "O vale da torrente" — respondeu Gustavo, de mau humor.

— Com efeito — disse o notário —, os autores hoje são meio doidos! "O vale da torrente"! Por que não a "torrente do vale"? É possível que um vale não tenha torrente, e dizendo "a torrente do vale", os autores teriam acusado qualquer coisa clara, precisa, característica e compreensível. Mas deixemos isso. Digam-me agora como se pode encontrar um drama numa torrente e num vale? Responder-me-ão que hoje o principal atrativo desses espetáculos está na decoração, esse título indica-a, e das mais belas. Divertiu-se muito, meu amiguinho? — ajuntou ele sentando-se em frente da criança.

No momento em que o notário perguntou que drama podia se encontrar no fundo duma torrente, a filha da marquesa voltou-se lentamente e pôs-se a chorar. A mãe estava tão vivamente contrariada, que não notou o movimento da filha.

— Oh, sim, senhor, me diverti muito — tornou o pequeno. — Havia na peça um menino muito gentil que se achava sozinho no mundo, porque o seu papai não podia ser pai dele. Eis que ao chegar ao alto da ponte que está sobre uma torrente, um homem barbudo muito feio, todo vestido de preto, o atira à água. Helena começou então a chorar, a soluçar: toda a gente gritou para a mandar calar, e o papai fez-no ir imediatamente embora...

O senhor de Vandenesse e a marquesa ficaram ambos estupefatos e como que empolgados por um mal-estar que lhes tirava a força de pensar e de mover-se.

— Gustavo, cale-se — gritou o general. — Proibi-lhe que falasse no que se passou no teatro, e esquece já as minhas recomendações.

— Digne-se Vossa Senhoria desculpá-lo, senhor marquês — disse o notário —, fiz mal em interrogá-lo, mas ignorava a gravidade de...

— Não devia ter respondido — disse o pai olhando com frieza para o filho.

A causa do brusco regresso das crianças e do general pareceu então bem conhecida do diplomata e da marquesa. A mãe olhou para a filha, viu-a em pranto e levantou-se para ir ter com ela; mas nesse momento o rosto contraiu-se-lhe vivamente e deixou transparecer os sinais de uma grande severidade.

— Basta, Helena — disse ela —, vá para o gabinete enxugar as lágrimas.

— O que fez a pobre menina? — disse o notário, que quis acalmar ao mesmo tempo a cólera da mãe e o pranto da filha. — É tão linda que certamente, minha senhora, que nunca lhe deu o mais pequeno desgosto. Não é assim, minha menina?

Helena olhando a tremer para mãe, enxugou os olhos, tentou apresentar um rosto sereno e fugiu para o gabinete.

— E sem dúvida — dizia o notário — que a senhora marquesa é demasiado boa mãe para não amar igualmente todos os seus filhos. É além disso muitíssimo virtuosa para ter dessas tristes preferências cujos funestos efeitos se revelam muito particularmente a nós, notários. A sociedade passa-nos pelas mãos; por isso vemos as paixões sob a sua forma mais hedionda. Às vezes é uma mãe que quer deserdar os filhos do marido em proveito dos filhos que prefere; enquanto que outras vezes, é o marido que quer reservar a sua fortuna ao filho que mereceu o ódio da mãe. Seguem-se então lutas, receios, intimações, vendas simuladas, fideicomissos; enfim, um escândalo, deplorável, palavra de honra, deplorável! Há pais que passam a vida deserdando os filhos, roubando os bens das esposas...

Sim, roubando é o termo. Falávamos de drama: ah! asseguro-lhes que se pudéssemos dizer o segredo de certas doações, os nossos autores poderiam fazer horríveis tragédias. Não sei qual é o poder que empregam as mulheres para fazer o que elas querem; porque, apesar das aparências e da sua fraqueza, são sempre elas que vencem. Ah! mas a mim é que não enganam. Adivinho sempre a razão dessas predileções que a sociedade qualifica cortesmente de indefiníveis! Mas os maridos nunca a adivinham, é uma justiça que se lhes deve prestar. Responder-me-ão a isto que há...

Helena, que voltara do gabinete com o pai, escutava atentamente o notário e compreendia-o tão bem, que lançou à mãe um olhar receoso, pressentindo com todo o instinto da infância que essa circunstância ia redobrar a severidade que mantinham para ela. A marquesa empalideceu, mostrando a Vandenesse, com um gesto de terror, o marido que olhava pensativo para as flores do tapete. Nesse momento, não obstante toda a sua política, o diplomata não pôde mais se dominar e lançou ao notário um olhar fulminante.

— Venha por aqui, senhor — disse-lhe, dirigindo-se apressadamente para o gabinete que precedia o salão. O notário seguiu-o tremendo e sem concluir a frase.

— Senhor — disse-lhe então o marquês de Vandenesse com um furor concentrado, fechando com violência a porta do salão onde deixava a mulher e o marido —, desde o jantar que não tem feito nem dito outra coisa senão tolices. Por Deus! retire-se; se não quer acabar por causar maiores desgraças. Se é um excelente notário, deixe-se ficar no seu cartório; mas, se, por acaso, se encontrar na sociedade, trate de ser mais circunspecto...

Voltou em seguida ao salão, deixando o notário sem o cumprimentar. Este permaneceu um momento perfeitamente assombrado, perplexo, sem saber o que aquilo significava. Quando cessaram os zumbidos que sentia aos ouvidos, julgou ouvir gemidos, idas e vindas pelo salão, campainhadas fortes. Teve receio de tornar a ver o marquês de Vandenesse e recuperou o uso das pernas para se escapulir pela escada; mas à porta dos aposentos esbarrou com os criados, que acudiam pressurosos para receber as ordens do patrão.

— Aqui está como são todos esses grandes senhores — disse com os seus botões quando se viu enfim na rua à procura de um carro. — Fazem com que falemos, convidam-nos até por meio de cumprimentos; julgamos diverti-los, nada disso! Dirigem-nos impertinências, colocam-nos à distância e põem-nos mesmo na rua sem nenhuma cerimônia. Afinal, fui deveras espirituoso; tudo quanto disse foi conveniente e sensato. E recomenda-me que seja circunspecto, quando nunca deixei de o ser. Ora essa, ainda sou notário e membro do parlamento. Foi decerto alguma graçola de embaixador; não há nada sagrado para essa gente. Amanhã ele me explicará como foi que só fiz e disse tolices. Hei de perguntar-lhe a razão. Pode ser que eu fosse culpado... Mas, para que hei de quebrar a cabeça? Que tenho eu com isso?

O notário entrou em casa e submeteu o enigma à esposa, narrando-lhe minuciosamente os fatos ocorridos durante a noite.

— Meu caro Crottat. Sua Exa. teve perfeitamente razão dizendo que só fizeste e disseste tolices.

— Por quê?

— Meu amigo, mesmo que te haja dito isso, não impedirá que recomeces amanhã em qualquer outra parte. Somente te recomendo que, quando estiveres na sociedade, não te ocupes senão de negócios.

— Se não me queres dizer, eu perguntarei amanhã a...

— Meu Deus, os mais tolos estudam a maneira de esconder essas coisas, e tu pensas que um embaixador tas dirá! Mas, Crottat, nunca te vi tão destituído de bom senso.

— Muito obrigado, minha querida!

V
Os dois encontros

A FASCINAÇÃO

Um antigo oficial de ordenança de Napoleão, a quem chamaremos simplesmente o marquês ou o general, e que fez uma grande fortuna durante a Restauração, fora passar alguns dias em Versailles, onde habitava uma casa de campo situada entre a igreja e a barbearia de Montreuil, na estrada que conduz à avenida de Saint-Cloud. O seu serviço na corte não lhe permitia se afastar de Paris.

  Erguido outrora para servir de asilo aos amores passageiros de algum fidalgo, esse pavilhão tinha vastas dependências. Os jardins, no centro dos quais estava colocado, separavam-no igualmente à direita e à esquerda das primeiras casas de Montreuil e das choupanas construídas nas circunvizinhanças da barreira; assim, sem estarem inteiramente isolados, os donos dessa propriedade gozavam, a dois passos da cidade, de todos os prazeres da solidão. Por uma estranha contradição, a fachada e a porta de entrada da casa davam imediatamente para a estrada que, talvez noutro tempo, era pouco frequentada. Essa hipótese parece verossímil, sabendo-se que ela ia ter ao gracioso pavilhão construído por Luís XV para mademoiselle de Romans, e que antes de aí chegar os curiosos reconheciam, de um lado e outro, mais de um cassino, cujo interior e decoração traíam as bacanais dos antigos que procuravam para a libertinagem a sombra e o silêncio.

Numa noite de inverno, o marquês, a esposa e os filhos achavam-se sós nessa casa deserta.

Os criados tinha obtido licença para irem festejar em Versailles o casamento dum deles; e, presumindo que a solenidade do Natal, junto a essa circunstância, lhes ofereceria uma boa desculpa para com os patrões, não tinham escrúpulo em consagrar à festa um pouco mais de tempo que lhes permitia a licença obtida. Contudo, como o general tinha fama de nunca deixar de cumprir a sua palavra com inflexível probidade, os refratários não dançaram sem algum remorso depois de expirar o prazo da licença. Acabavam de dar onze horas, e nem um só criado tinha ainda chegado. O silêncio profundo que reinava no campo permitia ouvir, por intervalos, o vento soprando através dos negros ramos das árvores, mugindo em roda da casa ou engolfando-se nos longos corredores. A geada purificava tão bem o ar e endurecera a terra, que em tudo se sentia essa sonoridade de algum ébrio ou o ruído dum carro voltando a Paris ressoavam vivamente e ouviam-se por mais tempo que de costume. As folhas secas, impedidas por algum súbito turbilhão, rastejavam sobre as pedras do pátio, de modo a dar uma voz à noite quando ela queria tornar-se muda. Era enfim uma dessas noites agrestes, que arrancam ao nosso egoísmo um queixume estéril em favor do pobre ou do viajante, e nos tornam o canto da lareira tão voluptuoso.

Nesse momento, a família reunida no salão não se inquietava nem com a ausência dos criados, nem com os pobres sem lar, nem com a poesia que dimana dum serão de inverno. Sem filosofar fora de propósito e confiando na proteção dum velho soldado, mulheres e crianças entregavam-se às delícias que se desfrutam na vida íntima quando os sentimentos são sinceros, quando o afeto e a franqueza animam as palavras, os olhares e os gestos.

O general estava sentado, ou, para melhor dizer, enterrado numa alta e espaçosa poltrona ao canto do fogão, onde ardia um fogo bem-ateado que espalhava esse calor acre, sintoma dum frio excessivo lá fora. Com a cabeça apoiada às costas da poltrona e levemente inclinada, esse bom chefe de família permanecia numa atitude indolente, mostrando uma doce alegria, uma perfeita serenidade. Contemplava o mais novo dos filhos, um meninozinho de cinco anos, que, meio nu, se recusava a deixar-se despir pela mãe. O pequenino fugia da camisa de noite com que a mãe o ameaçava; conservava o cabeção bordado, ria quando a mãe o chamava, vendo que ela também ria daquela rebelião infantil; ia então brincar com a irmã, tão adorável com ele, porém mais maliciosa, e que já falava mais distintamente porque as palavras vagas e as ideias confusas do menino eram apenas inteligíveis para os pais.

A pequena Moina, mais velha do que ele dois anos, provocava com as suas brincadeiras intermináveis gargalhadas, que pareciam nem ter causa; mas, vendo-os ambos rolando pelo chão mostrando inocentemente os corpos gordinhos, as formas brancas e delicadas, confundindo os caracóis negros e louros, batendo um no outro os rostos rosados, onde a alegria traçava mimosas covinhas, certamente um pai e principalmente uma mãe compreendiam essas pequeninas almas, para elas já caracterizadas e apaixonadas. Esses dois anjos faziam empalidecer com as cores vivas dos seus olhos úmidos, das faces brilhantes, as flores do tapete macio, esse teatro dos seus folguedos, sobre o qual caíam, lutavam e rolavam sem perigo.

Sentada numa poltrona do lado oposto ao fogão, em frente do marido, a mãe se achava cercada de várias peças de vestuário, com um sapatinho vermelho na mão, numa atitude cheia de abandono. A sua severidade indecisa fenecia num meigo sorriso gravado nos lábios. Apesar de ter aproximadamente trinta e seis anos, conservava ainda certa beleza devida à rara perfeição das linhas do rosto, ao qual a luz, o calor e a felicidade davam naquele momento um brilho extraordinário. Muitas vezes, ela deixava de olhar para os filhos para carinhosamente fitar o rosto grave do marido; e às vezes os seus olhos encontrando-se trocavam mudos gozos e profundas reflexões.

O general tinha o rosto bastante crestado. Sua fronte alta e pura estava riscada de fios de cabelos grisalhos. O brilho enérgico dos seus olhos azuis, a bravura inscrita nas rugas das suas faces pálidas anunciavam que havia comprado por rudes esforços a fita vermelha que trazia à lapela. Nesse momento, as inocentes alegrias dos dois filhinhos refletiam-se-lhe na fisionomia vigorosa e firme onde transpareciam um bom humor, uma candura indizíveis. O velho militar tornara-se pequeno sem muito esforço. Não há sempre um pouco de amor pela infância nos soldados que bastante experimentaram as desgraças da vida para terem sabido reconhecer as misérias da força e os privilégios da fraqueza?

Mais longe, em frente duma mesa redonda iluminada por lâmpadas astrais cujas luzes vivas lutavam com a claridade pálida das velas colocadas sobre o fogão, estava um menino de treze anos que virava rapidamente as folhas dum grande livro. Os gritos do irmão e da irmã não lhe causavam nenhuma distração, e o seu rosto acusava a curiosidade da mocidade. A profunda preocupação era justificada pelas interessantes maravilhas das "Mil e uma Noites" e por um uniforme de estudante do liceu. Conservava-se imóvel, numa atitude pensativa, um cotovelo sobre a mesa e a cabeça encostada a uma das mãos, cujos dedos brancos mais se salientavam entre o cabelo muito negro. Como a claridade só lhe incidia sobre o rosto, deixando o corpo na penumbra, semelhava-se assim a um desses retratos escuros onde Rafael se representou a si mesmo, inclinado, atento, meditando no futuro.

Entre a mesa e a marquesa, trabalhava uma donzela formosa e alta, sentada a um bastidor para o qual curvava ou afastava alternativamente a cabeça, cujos abundantes cabelos de ébano, artisticamente penteados, refletiam a luz. Só por si, Helena formava um espetáculo. A sua beleza se distinguia por um caráter pouco vulgar de força e elegância. As sobrancelhas, bastas e bem-desenhadas, realçavam a brancura da sua fronte casta. O lábio superior denotava energia, e o nariz grego era duma esquisita perfeição. Mas a elegância das formas, a cândida expressão das feições, a transparência duma tez delicada, a voluptuosa forma dos lábios, o oval do rosto, e principalmente a santidade do seu olhar virgem, imprimiam a essa vigorosa formosura a suavidade feminina, a modéstia encantadora que pedimos a esses anjos de paz e de amor.

Porém, nada havia de frágil naquela jovem, e o seu coração devia ser tão meigo, a alma tão forte como as suas proporções eram magníficas e o rosto atraente. Imitava o silêncio do irmão e dir-se-ia presa duma dessas fatais meditações de donzela, muitas vezes impenetráveis à observação dum pai ou mesmo à sagacidade das mães: de sorte que era impossível saber se devia atribuir-se ao jogo da luz, se a íntimos desgostos, as sombras caprichosas que lhe perpassavam pelo rosto como nuvens ligeiras sobre um céu puro.

Os dois mais velhos eram nesse momento completamente esquecidos pelo marido e pela esposa. Contudo, já por várias vezes o olhar interrogador do general abraçara a cena muda que, no segundo plano, oferecia uma graciosa realização das esperanças escritas nos tumultos infantis desse quadro doméstico. Explicando a vida humana por insensíveis gradações, essas figuras compunham uma espécie de poema vivo. O luxo dos acessórios que ornavam o salão, a diversidade das atitudes, as oposições devidas aos trajes de diferentes cores, os contrastes desses rostos tão caracterizados pelas diferentes idades e pelos contornos que as luzes tornavam salientes, espalhavam, sobre essas páginas humanas, todas as riquezas pedidas aos escultores, aos pintores, aos escritores. Enfim, o silêncio e o inverno, a solidão e a noite prestavam a sua majestade a essa sublime e simples composição, efeito delicioso da natureza. A vida conjugal é repleta dessas horas sagradas cujo encanto indefinível é talvez devido a alguma lembrança dum mundo melhor. Dardejam, por certo, raios celestes sobre essas cenas, destinadas a compensar o homem duma parte dos seus pesares e fazer-lhe aceitar a existência. Dir-se-ia que o universo se acha em frente de nós, sob uma forma encantadora, que desenvolve as suas grandes ideias de ordem, que a vida social advoga pelas suas leis falando do futuro.

 Todavia, apesar do olhar de ternura que lançava Helena sobre Abel e Moina quando externavam a sua alegria, apesar da felicidade expressa no seu rosto ao contemplar furtivamente o pai, notava-se um profundo sentimento de melancolia nos seus gestos, na atitude e principalmente nos seus olhos sombreados por compridas pestanas. As suas mãos lindas e brancas, através das quais filtrava a luz, tornando-a duma vermelhidão diáfana, e quase fluida, essas mãos tremiam. Só uma vez os seus olhares se cruzaram com os da marquesa. Essas duas mulheres compreenderam-se então por um olhar frio, respeitoso da parte de Helena, sombrio e ameaçador na marquesa. Helena deixou prontamente a cabeça sobre o bastidor, puxou apressada a agulha, e por muito tempo não tornou a erguer a cabeça que lhe parecia pesada demais.

 Seria a mãe excessivamente severa para a filha e julgaria necessária essa severidade? Teria ciúmes da beleza de Helena, com quem podia ainda rivalizar, mas só desenvolvendo todos os recursos da *toilette*? Ou teria a filha surpreendido, como sucede a muitas, em se tornando perspicazes, os segredos que essa mulher, na aparência tão religiosamente fiel aos seus deveres, julgava ter sepultado no coração tão profundamente como num túmulo?

Helena atingira uma idade em que a pureza da alma leva aos rigores, que excedem a justa medida em que devem permanecer os sentimentos. Em certos espíritos, as faltas tomam proporções de crimes; a imaginação reage então sobre a consciência; muitas vezes, então, as donzelas exageram o castigo segundo a extensão que dão às culpas. Helena parecia não se julgar digna de ninguém. Um segredo na sua vida passada, um incidente talvez, primeiro incompreendido, porém desenvolvido pelas suscetibilidades da sua inteligência sobre a qual influíam as ideias religiosas, parecia tê-la degradado romanescamente aos seus próprios olhos. Essa mudança na sua atitude começara no dia em que ela lera, na tradução recente dos teatros estrangeiros, a bela tragédia de *Guilherme Tell*, por Schiller. Depois de ter ralhado com a filha por deixar cair o livro, a mãe notara que a comoção produzida por essa leitura no espírito de Helena provinha da cena em que o poeta estabelece uma espécie de fraternidade entre Guilherme Tell, que derrama o sangue dum homem para salvar um povo, e João, o Parricida.

Tornando-se humilde, devota e recolhida, Helena nem desejava ir a bailes. Nunca fora tão carinhosa para o pai, principalmente quando a marquesa não era testemunha das suas meiguices. Contudo, se existia uma certa frieza na afeição de Helena pela mãe, era manifestada tão delicadamente que o general não dava por tal, cioso como era da união que reinava na sua família. Nenhum homem teria a perspicácia suficiente para sondar a profundeza daqueles dois corações femininos: um, novo e generoso; outro, sensível e altivo; o primeiro, tesouro de indulgência, o segundo, cheio de finura e de amor. Se a mãe contristava a filha por um hábil despotismo de mulher, era-o apenas sensível aos olhos da vítima. De resto, só um acontecimento fez nascer todas essas insolúveis conjeturas. Até aquela noite, nenhuma luz acusadora se escapara dessas duas almas; porém entre elas e Deus, certamente elevava-se algum sinistro mistério.

— Vamos, Abel — disse a marquesa aproveitando um momento em que Moina e o irmão estavam calados e quietos —; vamos, meu filho, é preciso dormir.

E lançando-lhe um olhar imperioso sentou-o nos seus joelhos.

— Como — disse o general —, são dez horas e meia, e nem sequer um criado voltou ainda? Oh! Que vadios! Gustavo — acrescentou voltando-se para o filho —, dei-te esse livro com a condição de o fechares às dez horas; deverias tê-lo feito como me prometeste e ires te deitar. Se queres ser um homem notável, tens que considerar a tua palavra como uma segunda religião, e como a própria honra. Fox, um dos maiores oradores da Inglaterra, era sobretudo notável pela beleza do seu caráter.

"A fidelidade à palavra dada é a principal das suas qualidades. Na sua infância, o pai, um inglês de têmpera antiga, dera-lhe uma lição bastante forte para deixar uma impressão eterna no espírito duma criança. Na tua idade, Fox ia, durante as férias, para casa do pai que possuía, como todos os ingleses ricos, um parque bastante grande em volta do palácio. Havia nesse parque um velho quiosque que devia ser posto abaixo e reconstruído num local donde o ponto de vista era magnífico. As crianças gostam muito de ver demolir. O pequeno Fox queria ter mais alguns dias de férias para assistir à queda do pavilhão; porém o pai exigia que ele voltasse para o colégio no dia fixo para abertura das aulas; daí discussão entre o pai e o filho. A mãe, como todas as mães, apoiou o pequeno Fox. O pai prometeu então solenemente ao filho que esperaria as férias seguintes para demolir o pavilhão.

"Fox voltou para o colégio. O pai julgou que o pequeno, distraído pelos seus estudos, esqueceria aquela circunstância, e mandou pôr abaixo o quiosque que foi reconstruído noutro local. O pequeno só pensava obcecado no quiosque. Quando voltou para as férias, o seu primeiro cuidado foi ir ver o pavilhão; mas à hora do almoço, aproximou-se muito triste do pai e disse-lhe: 'Papai me enganou.'

"O velho fidalgo inglês replicou com uma confusão cheia de dignidade: 'É preciso estimar mais a sua palavra do que a fortuna, porque cumprir a sua palavra dá fortuna, e nem todas as riquezas do mundo apagam a mancha feita à consciência por falta de palavra.'

"O pai mandou construir o velho pavilhão como primeiro estava; em seguida, ordenou que o pusessem abaixo aos olhos do filho. Que isto, Gustavo, te sirva de lição."

Gustavo, que escutara atentamente o pai, fechou imediatamente o livro. Houve um momento de silêncio durante o qual o general se apoderou de Moina, que lutava contra o sono e a encostou a si com todo o carinho. A pequenina deitou a cabeça no peito do pai e adormeceu profundamente, envolta nas madeixas douradas dos seus lindos cabelos.

Nesse momento, ressoaram uns passos rápidos na rua; e logo em seguida, três pancadas à porta despertaram os ecos da casa. Essas pancadas prolongadas tiveram uma significação tão fácil de compreender como o grito dum homem em perigo de morte. O cão de guarda ladrou com fúria. Helena, Gustavo, o general e a esposa estremeceram; mas nem Abel nem Moina acordaram.

— É uma pessoa apressadíssima! — disse o militar, depondo a filha na poltrona.

Saiu bruscamente do salão sem ter ouvido a súplica da esposa.

— Meu amigo, não vá...

O general passou ao quarto de dormir, pegou numa pistola, acendeu uma lanterna, correu para a escada, que desceu com a rapidez dum raio, e depressa se encontrou à porta da casa onde o filho intrepidamente o seguiu.

— Quem está aí? — perguntou.

— Abra — respondeu uma voz quase sufocada.
— É amigo?
— Sim, amigo.
— Está só?
— Sim... mas abra, porque "eles" vêm, "eles" vêm aí!

O homem introduziu-se no portal com a fantástica velocidade duma sombra, assim que o general entreabriu a porta; e, sem que este pudesse opor-se, o desconhecido obrigou-o a largá-la empurrando-a com força, e encostando-se resolutamente como para impedir que a tornasse a abrir.

O general, que levantou rapidamente a pistola e a lanterna à altura do peito do intruso para mantê-lo em respeito, viu um homem de estatura regular envolto numa capa forrada de peles, agasalho de velho, amplo e comprido, que parecia não ter sido feito para ele. Fosse por prudência ou por simples acaso, o fugitivo tinha a fronte inteiramente oculta por um chapéu caído para os olhos.

— Senhor — disse ele ao general —, abaixe o cano da sua pistola. Não pretendo conservar-me em sua casa sem o seu consentimento; mas se saio, a morte espera-me na barreira. E que morte! Responderá por ela perante Deus. Peço-lhe hospitalidade por duas horas. Reflita bem, senhor, não obstante a minha súplica, eu devo ordenar com o despotismo da necessidade. Quero a hospitalidade da Arábia. Devo ser sagrado para si; senão, abra, irei morrer. Preciso de segredo, dum asilo e de água. Oh! Água! — repetiu com a voz rouca.

— Quem é? — perguntou o general, admirado da voluptuosidade febril com que o desconhecido falava.

— Ah! Quem sou? Pois bem! abra, que me afasto — replicou o homem em infernal ironia.

Não obstante o cuidado com que o marquês fazia incidir a luz da lanterna sobre o estranho, apenas lhe podia ver a parte inferior do rosto, que não era de molde a falar em favor duma hospitalidade tão singularmente reclamada: tinha as faces lívidas e as feições horrivelmente contraídas. Na sombra projetada pela aba do chapéu, os olhos desenhavam-se como duas luzes que faziam quase empalidecer a fraca claridade da vela. Entretanto era preciso dar uma resposta.

— Senhor — disse o general —, a sua linguagem é tão extraordinária que no meu lugar...

— Dispõe da minha vida! — exclamou o estrangeiro com uma voz terrível, interrompendo o general.

— Duas horas? — tornou este, irresoluto.

— Duas horas! — repetiu o homem.

Mas, subitamente, tirou o chapéu com um gesto de desespero, descobriu a fronte e lançou, como se quisesse fazer uma derradeira tentativa, um olhar cuja vivacidade penetrou até o íntimo da alma do general. Esse jato de inteligência e de vontade semelhou-se a um relâmpago e foi tão esmagador como o raio; porque havia momentos em que os homens parecem investidos dum poder inexplicável.

— Pois bem! quem quer que seja, estará em segurança em minha casa — tornou gravemente o marquês, que julgou obedecer a um desses movimentos instintivos, que nem sempre se podem explicar.

— Que Deus o recompense — acrescentou o desconhecido soltando um profundo suspiro.

— Está armado? — perguntou o general.

Por única resposta, o desconhecido abriu e fechou num momento a capa. Não tinha armas aparentes e estava em roupas de baile, mas por muito rápido que fosse o exame do desconfiado militar, viu o preciso para exclamar.

— Onde demônio se enlameou dessa maneira com um tempo tão seco?

— Mais perguntas! — replicou o desconhecido com altivez.

Nesse momento, o marquês viu o filho e lembrou-se da lição que acabava de lhe dar sobre o severo cumprimento da palavra dada;

ficou tão vivamente contrariado dessa circunstância, que lhe disse, sem poder dominar a cólera:

— Como, pois, ainda te achas aqui em vez de estares na cama?

— Pensei poder lhe ser útil no perigo — respondeu Gustavo.

— Vamos, vai para o teu quarto — tornou o pai satisfeito com a resposta do filho. — E o senhor — acrescentou dirigindo-se ao desconhecido —, siga-me.

Tornaram-se silenciosos como dois jogadores desconfiados um do outro. O general começou mesmo a conceber sinistros pressentimentos. O desconhecido sufocava-lhe já o coração como um pesadelo; porém, dominado pela fé do juramento, conduziu-o pelos corredores e pelas escadas da sua residência, fazendo-o entrar, por fim, num grande quarto situado no segundo andar, precisamente por cima do salão. Esse aposento desabitado servia para enxugar roupa no inverno, não comunicava com nenhum outro, e como ornamento, só possuía nas suas quatro paredes amareladas um péssimo espelho deixado por cima do fogão pelo proprietário precedente e um outro maior que o marquês mandara colocar ali em frente do fogão, não tendo outro lugar. O sobrado nessa vasta mansarda nunca tinha sido varrido, o frio aí era glacial e o mobiliário se compunha apenas de duas cadeiras velhas. Depois de ter colocado a lanterna sobre a chaminé, o general disse ao desconhecido:

— A sua segurança exige que essa triste mansarda lhe sirva de asilo. E, como tem a minha palavra com respeito ao segredo, há de me permitir que o feche aqui.

O homem curvou a fronte em sinal de adesão.

— Apenas pedi um abrigo, segredo e água — observou ele.

— Vou já trazer-lha — replicou o marquês, que fechou a porta com cuidado e desceu às apalpadelas ao salão onde ia buscar uma luz para procurar uma garrafa com água na copa.

— Então, senhor, que foi que sucedeu? — perguntou a marquesa ao marido.

— Nada. Minha querida — respondeu o general com frieza.

— Contudo nós ouvimos levar alguém lá para cima...

— Helena — tornou o general olhando para a filha que se voltou para ele —, lembra-te que a honra de teu pai repousa na tua discrição. Deves fazer de conta que nada ouviste.

A jovem respondeu por um movimento de cabeça significativo. A marquesa ficou interdita e intimamente ofendida pela maneira empregada pelo marido para lhe impor silêncio. O general foi buscar uma garrafa, um copo, e voltou ao quarto onde estava o prisioneiro: encontrou-o de pé, encostado à parede, junto do fogão, sem chapéu; tinha-o atirado para cima duma das cadeiras. O desconhecido não esperava certamente ver tanta claridade. Franziu a testa e o seu rosto tornou-se sombrio quando encontrou o olhar perscrutador do general; porém depressa recuperou a serenidade e foi com uma fisionomia agradável que agradeceu ao seu protetor. Quando este pousou a garrafa e o copo sobre o fogão, o desconhecido rompeu o silêncio e disse numa voz suave que já não acusava as convulsões guturais precedentes, porém acusando ainda uma tremura interior:

— Senhor, eu vou parecer-lhe singular. Desculpe uns caprichos necessários. Se demora, pedir-lhe-ei que não olhe para mim enquanto eu beber.

Contrariado por ter de obedecer sempre a um homem que lhe desagradava, o general voltou-se bruscamente. O desconhecido tirou da algibeira um lenço branco em que envolveu a mão direita; depois pegou a garrafa cujo conteúdo esvaziou dum trago. Se pensar em quebrar o seu tácito juramento, o general olhou maquinalmente para o espelho; mas então a correspondência dos dois espelhos, permitindo-lhe ver perfeitamente o estrangeiro, descobriu nesse momento que o lenço se tornava subitamente vermelho pelo contato das mãos, que estavam cheias de sangue.

— Ah! O senhor olhou para mim — exclamou o homem quando, depois de ter bebido e de se ter embrulhado na capa, examinou o general com desconfiança. — Estou perdido. "Eles" aí chegam!

— Não ouço ruído algum — disse o marquês.

— Não está tão interessado como eu em escutar no espaço.

— Bateu-se então em duelo, para estar assim coberto de sangue? — perguntou o marquês bastante agitado ao distinguir umas grandes manchas na roupa do seu hóspede.

— Sim, um duelo, foi isso mesmo — repetiu o desconhecido deixando pairar nos lábios um sorriso amargo.

Nesse instante, ouviu-se à distância o galope de vários cavalos; mas era um ruído fraco como os primeiros alvores da manhã. O ouvido exercitado do general reconheceu a marcha dos cavalos disciplinados pelo regime do esquadrão.

— É a gendarmeria — disse ele.

Olhou ao seu prisioneiro um olhar de molde a dissipar as dúvidas que lhe podia ter surgido a sua indiscrição involuntária, pegou na luz e voltou para o salão. Apenas acabava de colocar a chave da mansarda sobre o fogão, o ruído produzido pela cavalaria aumentou e aproximou-se do pavilhão com uma rapidez que o fez estremecer. Com efeito os cavalos pararam à porta da sua residência. Depois de trocar algumas palavras com os camaradas, um cavaleiro desceu, bateu com força e obrigou o general a ir abrir. Este não foi senhor duma secreta comoção ao aspecto de seis gendarmes cujos chapéus bordados a prata brilhavam à claridade da lua.

— Meu general — disse o cabo —, não ouviu há pouco um homem correndo em direção à barreira?

— À barreira? Não.

— Não abriu a porta a pessoa alguma?

— Tenho por acaso o hábito de abrir eu mesmo a porta...

— Mas, perdão, meu general, nesse momento, parece-me que...

— Ora, pois! — exclamou o marquês em tom colérico —, quererá zombar de mim? Porventura terá o direito...?

— Não, não, meu general — replicou o cabo, muito mansamente. — Desculpará decerto o nosso zelo. Bem sabemos que um Par de França não se expõe a receber um assassino a essa hora da noite; porém, o desejo de obter alguns esclarecimentos...

— Um assassino! — exclamou o general. — E quem foi?...

— O senhor barão de Mauny acaba de ser morto com uma machadada — replicou o gendarme. — O assassino está sendo vivamente perseguido. Estamos certos de que se acha pelos arredores e nós vamos dar-lhe caça. Desculpe, meu general.

O gendarme, ao mesmo tempo que falava, montava a cavalo, de sorte que não lhe foi possível felizmente ver o rosto do general. Habituado a todas as suposições, o cabo talvez tivesse concebido suspeitas ao aspecto dessa fisionomia franca onde ressumavam tão fielmente os movimentos da alma.

— Sabe-se o nome do assassino? — perguntou o general.

— Não — respondeu o gendarme. — Deixou a secretária cheia de ouro e notas, sem lhes tocar.

— Foi uma vingança — disse o marquês.

— Ora! num velho?... Nada, nada, o patife não teve tempo de realizar o intento.

E o gendarme reuniu-se aos companheiros, que galopavam já à distância. O general ficou um momento entregue a perplexidades fáceis de compreender. Ouviu então os criados que voltavam disputando com um certo calor, e cujas vozes ressoavam na encruzilhada de Montreuil. Quando chegaram, a sua cólera, que precisava dum pretexto para se expandir, caiu sobre eles como um raio. A sua voz fez tremer os ecos da casa. Depois serenou de súbito, quando o mais ousado, o mais esperto dentre eles, o seu criado de quarto, desculpou a sua demora, dizendo-lhe que tinham sido detidos à entrada de

Montreuil por gendarmes e agentes da polícia em busca dum assassino. O general calou-se de repente. Depois, tendo-lhe essas palavras lembrado os deveres da sua singular posição, ordenou secamente a todos os criados que fossem se deitar, deixando-os atônitos pela facilidade com que admitia a mentira do criado de quarto.

Enquanto esses acontecimentos se passavam no pátio, um incidente bem insignificante na aparência mudara a situação de outras personagens que figuram nesta história. Logo que o marquês saiu, sua mulher, olhando alternativamente para a chave da mansarda e para Helena, acabou por dizer em voz baixa inclinando-se para a filha.

— Helena, teu pai deixou a chave em cima da chaminé.

A jovem, admirada, ergueu a cabeça e olhou timidamente para a mãe, cujos olhos brilhavam de curiosidade.

— E daí, mamãe? — respondeu Helena com a voz perturbada.

— Desejava bem saber o que se passa lá em cima. Se está alguém, ainda não se mexeu. Vai lá...

— Eu? — disse a jovem, assustada.

— Tens medo?

— Não, mamãe, mas pareceu-me ter ouvido os passos dum homem.

— Se eu pudesse ir lá, não te pediria que subisses, Helena — replicou a mãe com fria dignidade. — Se teu pai voltasse e não me encontrasse, procurar-me-ia talvez, enquanto que não notará a tua ausência.

— Senhora — tornou Helena —, se o ordena, irei, mas perderei a estima de meu pai...

— Como! — disse a marquesa, com uma certa ironia. — Mas já que tomas a sério o que não passava duma brincadeira agora ordeno-te que vás ver quem está lá em cima. Aqui tens a chave, minha filha. O teu pai, recomendando-te que guardasse silêncio sobre o que aqui se passa neste momento, não te proibiu que subisses a esse quarto. Vai e fica sabendo que uma mãe nunca deve ser julgada por sua filha...

Depois de ter proferido estas últimas palavras com toda a severidade duma mãe ofendida, a marquesa pegou na chave e entregou-a a Helena, que se ergueu sem dizer uma palavra e saiu da sala.

— Minha mãe sempre saberá obter o seu perdão; eu, porém, ficarei perdida no espírito de meu pai. Quererá me privar da ternura que ele tem por mim, expulsar-me de casa?

Essas ideias fermentaram subitamente na sua imaginação enquanto subia às escuras pelo longo corredor ao fundo do qual se achava a porta do quarto misterioso. Quando aí chegou, a desordem dos seus pensamentos tinha qualquer coisa de fatal. Essa espécie de meditação confusa serviu para fazer surgirem mil sentimentos até então contidos no seu coração. Não acreditando talvez já num futuro feliz, acabou, nesse terrível momento, por desesperar da vida. Tremeu convulsivamente ao meter a chave na fechadura, e a sua comoção tornou-se mesmo tão forte que parou um momento para pôr a mão sobre o coração, como se tivesse o poder de lhe acalmar as pulsações fundas e sonoras. Afinal abriu a porta.

O assassino não ouviu por certo o ruído dos gonzos. Apesar de ter o ouvido muito apurado, ficou quase que pegado à parede, imóvel e como que perdido nos seus pensamentos. O círculo da luz projetado pela lanterna alumiava-o tenuamente, e na semiescuridão em que se achava, assemelhava-se a essas sombrias estátuas de cavaleiros, sempre de pé no canto de algum negro túmulo em capelas góticas. Gotas de frio suor lhe sulcavam a fronte pálida e alta. Uma audácia incrível brilhava naquele rosto fortemente contraído. Os seus olhos de fogo, fixos e secos, pareciam contemplar um combate na escuridão que o cercava. Pensamentos tulmutuosos passavam rapidamente sobre aquele rosto, cuja expressão firme e resoluta indicava uma alma superior. O seu corpo, atitude e proporções correspondiam ao seu gênio selvagem. O homem era todo força e poder e encarava as trevas com uma imagem visível do seu futuro. Habituado a ver as enérgicas figuras dos gigantes que se reuniam em massa em volta de Napoleão, e preocupado por uma curiosidade moral, o general não prestara atenção às singularidades físicas desse homem extraordinário; mas, sujeita, como todas as mulheres, às impressões exteriores, Helena ficou maravilhada daquele misto de luz e de sombra, de grandeza e de paixão, dum caos poético que dava ao desconhecido a aparência de Lúcifer erguendo-se da sua queda. De súbito, a tempestade pintada naquele rosto desapareceu como por encanto, e o prestígio indefinível que o desconhecido era, sem o saber talvez, a causa e o efeito, derramou-se em volta com a progressiva rapidez duma inundação. Uma torrente de pensamentos lhe acudiu à fronte no momento em que as suas feições retomaram as formas naturais. "Encantada", ou pela estranheza daquela entrevista, ou pelo mistério em que penetrava, a jovem pôde então admirar uma fisionomia suave e cheia de interesse. Conservou-se alguns instantes num pensativo silêncio, entregue a perturbações que a sua alma até ali desconhecera. Mas em breve, ou porque Helena fizesse algum movimento, ou porque o assassino, regressando do mundo ideal ao mundo real, ouvisse uma outra respiração além da sua, voltou a cabeça para a filha do seu anfitrião, e avistou indistintamente na sombra o rosto sublime e as formas majestosas duma criatura que decerto tomou por um anjo, ao vê-la imóvel e vaga como uma aspiração.

— Senhor... — disse ela com voz palpitante.

O assassino estremeceu.

— Uma mulher! — exclamou com doçura. — É possível? Afaste-se — continuou ele. — Não reconheço a ninguém o direito de me lastimar, de me absolver ou de me condenar. Preciso viver só. Vá, minha filha — acrescentou com um gesto de soberano —, eu reconheceria mal o serviço que me presta o dono desta casa se deixasse uma só das pessoas que a habitam respirar o mesmo ar que eu. Tenho de submeter-me às leis do mundo.

 Esta última frase foi pronunciada em voz baixa. Abraçando na sua profunda intuição as misérias que lhe despertou essa melancólica ideia, lançou a Helena um olhar de serpente e agitou no coração dessa singular mocinha um mundo de pensamentos até ali desconhecidos. A sua alma achou-se subjugada, aterrada, sem que ela encontrasse força para se defender contra o poder magnético daquele olhar, por muito involuntário que fosse.

 Envergonhada e trêmula, retirou-se e só entrou no salão um momento antes de seu pai, de sorte que nada pôde dizer à mãe.

 O general, preocupadíssimo, passeava silenciosamente, de braços cruzados, andando, num passo uniforme, das janelas que davam para a rua até às que davam para o jardim. A marquesa conservava nos joelhos Abel adormecido. Moina, deitada na poltrona como um pássaro no seu ninho, dormitava inconsciente. A irmã mais velha tinha um novelo de seda numa das mãos, na outra uma agulha, e contemplava o fogo. O profundo silêncio que reinava na sala, em toda a casa e na rua, era apenas interrompido pelos passos pesados dos criados que iam se deitar e por algumas gargalhadas malcontidas, último eco da sua alegria e da festa nupcial; depois, pelo abrir e fechar de portas dos respectivos quartos. Ainda se ouvia um certo ruído. Caiu uma cadeira. Um cocheiro muito antigo na casa tossiu durante algum tempo e calou-se. Mas, dentro em pouco, a majestade sombria que se ostenta na natureza adormecida à meia-noite tudo dominou. Só as estrelas brilhavam. O frio tinha-se apoderado da terra. Ninguém falava ou se movia. Somente o fogo crepitava. O relógio de Montreuil deu uma hora. Nesse momento, uns passos muito ligeiros ressoaram no andar superior. O marquês e a filha, certos de terem fechado à chave o assassino do senhor

Mauny, atribuíram-nos a uma das criadas, e não se admiraram de ouvir abrir a porta do aposento que precedia o salão. De repente, o assassino achou-se no meio deles. O assombro do marquês, a viva curiosidade da mãe e o espanto da filha tendo-lhe permitido avançar quase até ao meio da sala, dirigiu-se ao general numa voz singularmente serena e melodiosa:

— Senhor, as duas horas vão expirar.

— Como se acha aqui? — exclamou o general. — Por que poder...?

E, com um olhar terrível, interrogou a mulher e os filhos. Helena fez-se vermelha como o fogo.

— O senhor — tornou o militar raivoso, no meio de nós! — Um assassino coberto de sangue, aqui! O senhor mancha este quadro! Saia! saia! — acrescentou furioso.

À palavra assassino, a marquesa deu um grito. Quanto a Helena, esse epíteto pareceu decidir a sua vida; o seu rosto não acusou o mínimo espanto. Parecia-lhe que esperava aquele homem. Os seus pensamentos tão vastos tiveram um sentido. O castigo que o céu reservava às suas culpas manifestava-se. Julgando-se tão criminosa como aquele homem, a donzela fitou-o serenamente; era sua companheira, sua irmã. Via naquela circunstância uma ordem de Deus. Alguns anos mais tarde, a razão teria sido feito justiça aos seus remorsos; mas naquele momento tornavam-se insensata. O desconhecido conservou-se imóvel e frio, um sorriso de desdém nos seus grossos lábios vermelhos.

— Reconhece bem mal a nobreza com que procedi para consigo — disse ele vagarosamente. — Não quis tocar no corpo em que me deu a água para mitigar a minha sede. Nem sequer pensei em lavar as mãos ensanguentadas sob o seu teto e saio sem ter deixado aqui, do "meu crime" (a estas palavras comprimiram-se-lhe os lábios) mais do que a ideia, tentando passar sem deixar vestígios. Enfim, nem sequer permiti à sua filha que...

— Minha filha! — exclamou o general lançando a Helena um olhar horrorizado. — Ah! Desgraçado, sai ou mato-te.

— As duas horas ainda não expiraram. Não poderá matar-me nem entregar-me sem perder a sua estima... e a minha.

Ouvindo estas palavras, o militar estupefato tentou contemplar o criminoso; porém viu-se obrigado a baixar os olhos sem poder sustentar o brilho intolerável dum olhar que, pela segunda vez, lhe desorganizava a alma. Temeu tornar-se indulgente, reconhecendo que lhe enfraquecia a vontade.

— Assassinar um velho! Nunca na sua vida viu uma família? — disse então o marquês designando paternalmente a mulher e os filhos.

— Sim, um velho — repetiu o desconhecido cuja fronte se contraiu levemente.

— Fuja! — exclamou o general sem ousar fitar o hóspede. — O nosso pacto rompeu-se. Não o matarei. Não! nunca serei o provedor do cadafalso. Mas saia, que nos causa horror!

— Bem sei — replicou o criminoso com resignação. — Não há terra nenhuma em França onde possa me encontrar seguro; mas, se a justiça soubesse como Deus julgar as especialidades; se dignasse de informar-se quem é o monstro, se o assassino, se a vítima, eu permaneceria altivo entre os homens. Não adivinha crimes anteriores num homem que acaba de ser morto com uma machadada? Fiz-me juiz e carrasco, substituí a justiça humana impotente. E eis o meu crime. Adeus, senhor. Apesar da amargura que lançou na sua hospitalidade, conservarei eterna recordação. Terei ainda na alma um sentimento de reconhecimento para um homem no mundo, e é o senhor... Porém tê-lo-ia querido mais generoso.

Dirigiu-se para a porta. Nesse momento, a jovem inclinou-se para a mãe e segredou-lhe umas palavras ao ouvido.

— Ah!...

A exclamação da marquesa fez estremecer o marido, como se tivesse visto Moina morta. Helena estava de pé, e o assassino voltara-se instintivamene, mostrando no rosto uma certa inquietação por aquela família.

— Que tem, minha querida? — perguntou o marquês.

— Helena quer segui-lo — respondeu a marquesa.

O criminoso corou.

— Visto que minha mãe traduz tão mal uma exclamação quase involuntária — disse Helena em voz baixa —, realizarei os seus votos.

Depois de ter lançado um olhar de altivez quase selvagem em torno de si, a donzela abaixou os olhos e ficou numa atitude admirável de modéstia.

— Helena — disse o general —, foi lá acima ao quarto onde eu...?

— Sim, meu pai.

— Helena — tornou com a voz alterada por um tremor convulsivo —, é a primeira vez que vê esse homem?

— Sim, meu pai.

— Não é portanto natural que tenha intenção de...

— Se não é natural, é pelo menos verdade, meu pai.

— Ah! Minha filha!... — disse a marquesa em voz baixa, mas de modos que o marido a ouvisse. — Helena, está mentindo a todos os princípios de virtude, de honra, de modéstia, que procurei desenvolver em seu coração. Se até essa hora fatal não foi senão uma constante mentira, então não merece ser lastimada. É a perfeição moral desse desconhecido que a tenta? Será a espécie de poder necessário aos que cometem um crime...? Estimo-a demasiado para supor que...

— Oh! Suponha tudo, senhora — tornou Helena com frieza.

Mas, não obstante a força de caráter de que dava provas naquele momento, o fogo dos seus olhos absorveu dificilmente as lágrimas que não pôde suster. O desconhecido adivinhou a linguagem da mãe pelas lágrimas da donzela e lançou o seu olhar de águia à marquesa, que foi obrigada, por um poder irresistível, a fitar aquele terrível sedutor. Ora, quando os olhos dessa mulher encontraram os olhos claros e brilhantes do criminoso, ela experimentou na alma uma comoção igual à que nos causa o aspecto dum réptil.

— Meu amigo — disse a marquesa ao marido —, é o demônio! Tudo adivinha...

O general ergueu-se para tocar a campainha.

— Vai perdê-lo — disse Helena ao assassino.

O desconhecido sorriu, deu um passo, segurou o braço do marquês, obrigou-o a suportar um olhar que vertia espanto e privou-o da energia que aparentava.

— Vou pagar-lhe a sua hospitalidade — disse o criminoso —, e ficaremos quites. Poupar-lhe-ei uma ação desonrosa entregando-me eu próprio. Afinal, de que me servirá agora a vida?

— Pode se arrepender — replicou Helena, animando-o com uma dessas esperanças que só brilham nos olhos duma donzela.

— Jamais me arrependerei — tornou o assassino erguendo a fronte altivamente.

— As mãos estão manchadas de sangue — disse o pai à filha.

— Limpar-lhas-ei — replicou Helena.

— Mas — tornou o general, sem se atrever a designar o desconhecido — sabe ao menos se ele a quer somente?

O assassino aproximou-se de Helena, cuja beleza, apesar de casta e recolhida, era como que iluminada por uma luz interior cujos reflexos coloriam e punham, por assim dizer, em relevo, as mais delicadas linhas do seu juvenil rosto; em seguida, depois de ter lançado àquela criatura encantadora um doce olhar, cujo brilho era ainda terrível, disse traindo uma viva comoção.

— Não será amá-la por si mesma e pagar as duas horas de existência que seu pai me vendeu, recusar a dedicação?

— E também o senhor me repele! — exclamou Helena num tom que dilacerou todos aqueles corações. — Adeus, pois, só me resta morrer!

— Que significa isto? — disseram ao mesmo tempo o pai e a mãe.

Helena conservou-se calada e baixou os olhos depois de ter interrogado a marquesa por um olhar eloquente. Desde o momento em que o general e a esposa tinham tentado combater pela palavra ou pela ação o estranho privilégio que o desconhecido se arrogava permanecendo junto deles, e que este lhes lançara a chama estonteadora que os seus olhos dardejavam, sentiam-se subjugados por um inexplicável torpor; e a sua razão vacilante mal os deixava repelir o poder sobrenatural sob o qual sucumbiam. Para eles o ar tornara-se pesado, e respiravam dificilmente, sem poderem acusar aquele que assim os oprimia, apesar duma voz interior os advertir que esse homem mágico era a causa da sua impotência. No meio dessa agonia moral, o general adivinhou que os esforços deviam ter por fim influenciado a razão vacilante da filha: agarrou-a pela cintura e levou-a para junto duma janela, longe do assassino.

— Minha querida filha — disse-lhe em voz baixa —, se algum amor indigno tivesse nascido de súbito no teu coração, a tua vida cheia de inocência, a tua alma pura e piedosa me deram sobejas provas do teu caráter, para não te supor sem a energia precisa para dominar um movimento de loucura. O teu procedimento oculta um mistério. Pois bem! O meu coração está cheio de indulgência, podes confiar-lhe tudo; ainda mesmo que o rasgasses, saberia, filha minha, conter os meus sofrimentos e guardar fiel silêncio à tua confissão. Vejamos, tens ciúmes do nosso afeto pelos teus irmãos, pela tua irmãzinha? Tens na alma algum desgosto devido ao amor? És infeliz conosco? Fala, explica-me as razões que te levam a deixar a tua família, a abandoná-la, a privá-la do seu maior encanto, a deixar tua mãe, teus irmãos, a tua irmãzinha?

— Meu pai — respondeu Helena —, nem tenho ciúmes nem estou apaixonada por ninguém, nem mesmo pelo seu amigo diplomata, o senhor de Vandenesse.

A marquesa empalideceu, e a filha, que a observava, calou-se.

— Não deverei mais cedo ou mais tarde ir viver sob a proteção dum homem?

— Isso é verdade.

— Sabemos porventura — prosseguiu a jovem — qual será o ente a quem ligaremos os nossos destinos? Eu acredito nesse homem.

— Criança — disse o general elevando a voz —, não pensa nos sofrimentos que o futuro te reserva.

— Penso nos seus...

— Que vida! — diz o pai.

— Uma vida de mulher — murmurou a filha.

— É muito sábia! — exclamou a marquesa recuperando por fim a voz.

— Senhora, às perguntas ditam-se as respostas; mas, se o deseja, falarei mais claramente.

— Diga-me tudo, minha filha!... sou mãe.

Um olhar da jovem fez emudecer a marquesa, que depois duma pausa acrescentou:

— Helena, ouvirei as suas censuras se tem algumas a me fazer, mais depressa do que deixá-la seguir um homem de quem todos fogem com horror.

— Bem vê, senhora, que sem mim ele teria de viver só.

— Basta, senhora! — exclamou o general —; já não temos senão uma filha!

Olhou para Moina, que continuava a dormir.

— Encerrá-la-ei num convento — ajuntou, voltando-se para Helena.

— Seja! meu pai — replicou a jovem com um sossego desesperador —, aí morrerei. Só a Deus tem que dar contas da minha vida e da "sua" alma.

Um profundo silêncio sucedeu, de súbito, a estas palavras. Os espectadores da cena, em que tudo era contrário aos sentimentos vulgares da vida social, não ousavam olhar-se. De repente, o marquês viu as pistolas, apoderou-se duma, armou-a prontamente e dirigiu-se para o desconhecido. Ao ruído que a arma produziu, o homem voltou-se, lançou um olhar calmo e penetrante ao general, cujo braço, detido por uma invencível fraqueza, caiu pesadamente, rolando a pistola pelo tapete.

— Minha filha — disse então o pai abatido por aquela luta medonha —, é livre. Beije sua mãe se ela consentir. Quanto a mim, não quero tornar a vê-la nem ouvi-la...

— Helena — disse a mãe à jovem —, pense na miséria que a espera.

A tais palavras, o desconhecido fez um movimento que atraiu a atenção sobre si. Lia-se no seu rosto uma expressão de desdém.

— A hospitalidade que lhe dei custa-me caro! — exclamou o general. — Ainda agora, só matou um velho; aqui, assassina uma família inteira. Suceda o que suceder, há de haver desgraça nesta casa.

— E se sua filha for feliz? — perguntou o assassino olhando fixamente para o militar.

— Se for feliz consigo — retrucou o pai com visível esforço —, não a lastimarei.

Helena ajoelhou timidamente diante do pai e disse-lhe com carinho:

— Oh, meu pai! Amo-o e venero-o, quer me prodigalize os tesouros da sua bondade ou os rigores da sua cólera... Porém, suplico-lhe que as suas derradeiras palavras sejam de piedade.

O general não ousou contemplar a filha. Nesse momento o desconhecido acercou-se e, olhando para Helena com um sorriso em que havia alguma coisa de infernal e de celeste, disse:

— Anjo de misericórdia, a quem um assassino não assusta, venha, visto que persiste em me confiar o seu destino.

— É inexplicável! — exclamou o marquês.

A marquesa lançou à filha um olhar extraordinário e abriu-lhe os braços. Helena precipitou-se para ela chorando.

— Adeus, adeus, minha mãe!

Helena fez resolutamente um sinal ao desconhecido, que estremeceu. Depois de ter beijado a mão do pai e abraçado precipitadamente, mas sem entusiasmo, Moina e o pequeno Abel, desapareceu com o assassino.

— Por onde vão eles? — exclamou o general ouvindo os passos dos fugitivos.

E dirigindo-se à esposa:

— Parece-me um sonho: essa aventura oculta-me um mistério. Devo sabê-lo.

A marquesa estremeceu.

— Há já algum tempo — respondeu ela —, Helena tornara-se extraordinariamente romanesca e muito exaltada. Não obstante os meus cuidados em combater essa tendência do seu caráter...

— Isso não é claro...

Mas, imaginando ouvir no jardim os passos da filha e do estrangeiro, o general interrompeu-se para abrir precipitadamente a janela.

— Helena! — gritou.

A voz se perdeu na noite como uma vã profecia. Pronunciando esse nome, ao qual nunca mais ouviria responder, o marquês quebrou, por assim dizer, o encanto a que o submetera um poder diabólico. Viu nitidamente a cena que se acabava de passar e maldisse a sua fraqueza que não compreendia. Um estremecimento lhe percorreu todo o corpo; tornou-se o que era, terrível, sedento de vingança, e soltou um grito medonho.

— Socorro! socorro!...

Correu aos cordões das campainhas, puxou-os de modo a quebrá-los. Todos os criados despertaram em sobressalto. Gritando sempre, o general abriu as janelas, chamou os gendarmes, pegou na pistola, atirou para apressar a marcha dos cavaleiros, o despertar dos criados e a aparição dos vizinhos. Os cães, reconhecendo a voz do patrão, ladraram e os cavalos relincharam. Descendo a escada para correr atrás da filha, o general viu os criados assustados que acudiam de todos os lados.

— Minha filha... Helena foi raptada. Vão ao jardim! Vigiem a rua! Abram a porta aos gendarmes!... Procurem o assassino!

Num ímpeto de raiva quebrou a cadeia que prendia o cão de caça.

— Helena! Helena!... — gritou ao cão.

O animal saltou como um leão, ladrou furiosamente e correu para o jardim tão rapidamente que o general não pôde segui-lo. Nesse momento ouviu-se na rua o galope dos cavalos, e o general foi apressadamente abrir.

— Cabo! — exclamou —, corte a retirada ao assassino do senhor Mauny. Fugiram pelos meus jardins. Depressa, mande cercar todo o caminho... entretanto farei uma batida por todas as terras, parques e casas. Vocês — disse aos criados —, guardem a rua e vigiem desde a barreira até Versailles. Para a frente!

Pegou numa espingarda, que um criado lhe apresentou, e correu para os jardins gritando ao cão.

— Procura!

Responderam-lhe, na distância, latidos furiosos, e o general dirigiu-se para o lugar donde pareciam proceder.

Às sete horas da manhã, as buscas dos gendarmes, do general, dos criados e dos vizinhos, tinham sido inúteis. O cão não voltara. Acabrunhado de fadiga e já envelhecido pelo desgosto, o marquês voltou para o salão, para ele deserto, não obstante a presença dos seus três filhos.

— Foi bem fria com sua filha — disse o general fitando a mulher. — Eis o que nos resta dela — ajuntou, mostrando o bastidor onde se via uma flor começada. — Estava ali há pouco, e agora perdida... perdida!

Chorou, ocultando a cabeça nas mãos, e esteve um momento silencioso, não ousando contemplar esse salão, que momentos antes lhe oferecia o quadro mais suave da felicidade doméstica. A luz da aurora lutava com as lâmpadas expirantes; as velas comunicavam o fogo às flores de papel; tudo combinava com o desespero daquele pai.

— É preciso destruir isto — disse passado um momento de silêncio e mostrando o bastidor. — Não poderei ver o mais pequeno objeto que a recordasse.

O CAPITÃO PARISIENSE

A terrível noite de Natal, durante a qual o marquês e a mulher tiveram o desgosto de perder a filha mais velha, sem terem podido se opor ao estranho domínio exercido pelo seu raptor involuntário, foi como um aviso que o Destino lhes deu. A falência dum agente de câmbio arruinou o marquês, que hipotecou os bens da mulher para tentar uma especulação cujos benefícios deviam restituir à família toda a sua primitiva fortuna; mas essa empresa acabou por arruiná-lo. Levado pelo desespero a tudo tentar, o general expatriou-se. Seis anos haviam decorrido desde a sua partida. Apesar da família ter recebido raras vezes notícias suas, alguns dias antes do reconhecimento da independência das repúblicas americanas pela Espanha, anunciara ele o seu regresso.

Por uma bela manhã, alguns negociantes franceses, impacientes por voltarem à pátria com as riquezas adquiridas ao preço de grandes trabalhos e perigosas viagens empreendidas, tanto no México como na Colômbia, se achavam a algumas léguas de Bordéus, a bordo dum brigue espanhol.

Um homem, envelhecido mais pelas fadigas e pelo desgosto do que pelos anos, estava encostado à amurada e parecia insensível aos espetáculos que se ofereciam aos olhos dos passageiros reunidos no convés. Escapos dos perigos da navegação e convidados pela beleza do dia, todos ali se achavam como para saudar a terra natal. A maior parte dentre eles tentava ansiosamente ver, na distância, os faróis, os edifícios da Gasconha, a torre de Cordouan, de mistura com as criações fantásticas de algumas nuvens brancas que se elevavam no horizonte.

Se não fosse a espuma prateada que tremulava em frente do brigue e o longo sulco rapidamente desfeito que deixava atrás de si, os viajantes poder-se-iam julgar imóveis no meio do oceano, tão calmo estava o mar. O céu ostentava uma pureza encantadora. A cor escura da sua abóbada chegava, por insensíveis graduações, a se confundir com a das águas azuladas, marcando o seu ponto de reunião por uma linha cuja claridade cintilava tão vivamente como a das estrelas. O sol fazia brilhar milhões de facetas na vasta extensão do mar, tornando extremamente luminosas as imensas planícies formadas pela água. O brigue, com todas as velas imensas desfraldadas, vagava ao sabor dum vento extraordinariamente suave, e aqueles panos enormes, brancos como a neve, aquelas bandeiras amarelas flutuando, a quantidade de cordas desenhava-se com rigorosa precisão no fundo brilhante do ar, do céu e do oceano. Um belo dia, o vento fresco, a vista da pátria, o mar tranquilo, um sussurro melancólico, um lindo brigue solitário, deslizando pelo oceano como uma mulher correndo a uma entrevista, constituíam um quadro cheio de harmonias, uma cena donde a alma humana podia abranger espaços imutáveis, partindo dum ponto onde tudo era movimento. Havia uma maravilhosa oposição de solidão e de vida, de silêncio e de ruído, sem que se pudesse distinguir onde estavam o rumor e a vida, a solidão e o silêncio, por isso nenhuma voz humana rompeu esse encanto celeste. O capitão espanhol, os marinheiros, os franceses conservavam-se de pé ou sentados, imersos num êxtase religioso cheio de recordações. Havia uma certa moleza até no próprio ar. Os rostos satisfeitos acusavam um inteiro esquecimento dos sofrimentos passados, e aqueles homens balouçavam-se no suave navio como num sonho de ouro.

Todavia, de quando em quando, o velho passageiro, encostado à amurada, olhava o horizonte com certa inquietação. Notava-se na sua fisionomia uma verdadeira descrença da sorte, e parecia recear não chegar nunca à França. O homem era o marquês d'Aiglemont. A fortuna não fora surda aos rogos e esforços do seu desespero. Após cinco anos de tentativas e trabalhos penosos, vira-se possuidor duma riqueza considerável. Na sua impaciência de tornar a ver a sua terra e levar a felicidade à família, seguira o exemplo de alguns negociantes de Havana, embarcando com eles num navio espanhol de carga para Bordéus. Contudo, a sua imaginação, fatigada de prever o mal, traçava-lhe as mais deliciosas imagens da sua felicidade passada. Vendo ao longe a linha escura descrita pela terra, julgava contemplar a mulher e os filhos. Achava-se no seu lugar, junto do fogão, e sentia-se aí beijado, acariciado. Imaginava ver Moina, bela, crescida, imponente, como uma donzela. Quando esse quadro fantástico adquiriu uma espécie de realidade, as lágrimas caíram-lhe pelas faces; então, para ocultar a sua perturbação, olhou para o horizonte úmido, oposto à linha brumosa que anunciava a terra.

— É ele... — disse o marquês — segue-nos!

— O que é? — exclamou o capitão espanhol.

— Um navio — respondeu o general em voz baixa.

— Já o vi ontem — tornou o capitão Gomez. — Temos dado sempre caça — disse ao ouvido do general.

— E não sei por que motivo nunca se nos acercou — volveu o velho militar —; é muito melhor veleiro do que o seu danado "São Fernando".

— Talvez sofresse avarias...

— Adianta-se! — disse o francês.

— É um corsário colombiano — tornou-lhe o capitão ao ouvido. — Estamos ainda a seis léguas de terra e o vento enfraquece.

— Não anda, voa, como se soubesse que dentro de duas horas ter-lhe-á fugido a presa. Que ousadia!

— Ele! — exclamou o capitão. — Ah! Não é sem razão que se chama "Otelo". Ultimamente meteu a pique uma fragata espanhola, e contudo não tem mais de trinta canhões! Só dele tinha medo, porque não ignorava que cruzava nas Antilhas... Ah! ah! — tornou depois duma pausa, durante a qual olhou para as velas do seu navio —; o vento levanta-se, chegaremos a tempo. Assim há de ser, o Parisiense seria implacável.

— Também ele chega! — replicou o marquês.

O "Otelo" não distava mais que três léguas. Apesar do colóquio entre o capitão e o marquês não ter sido ouvido pela equipagem, a aparição daquela vela levara a maior parte dos passageiros e dos marinheiros para o lugar onde se achavam os dois interlocutores; mas quase todos, tomando o brigue por um navio mercante, observava-no com interesse quando, de súbito, um marinheiro exclamou:

— Com a breca! Estamos perdidos; é o capitão Parisiense!

A tal nome, o terror espalhou-se pelo brigue, e fez-se uma confusão impossível de descrever. O capitão espanhol imprimiu com as suas palavras uma energia momentânea aos marinheiros; e, à vista do perigo, querendo chegar a terra por qualquer preço, mandou içar prontamente as velas pequenas a estibordo e bombordo, para apresentar ao vento toda a superfície de pano que guarnecia as vergas. Mas não foi sem grandes dificuldades que as manobras se realizaram; faltava-lhes naturalmente esse admirável conjunto que tanto seduz nos navios de guerra. Ainda que o "Otelo" voasse como uma andorinha, graças à orientação das suas velas, ganhava contudo tão pouco, na aparência, que os desgraçados franceses conservaram ainda uma doce ilusão.

De repente, no momento em que, depois de enormes esforços, o "São Fernando" tomava novo alento devido às hábeis manobras a que Gomez se associara com o gesto e com a voz, por um brusco movimento dado na cana do leme, voluntário por certo, o timoneiro pôs o brigue de través. As velas, fustigadas de lado pelo vento, foram tão bruscamente batidas que o navio ficou sem governo. Uma raiva inexplicável tornou o capitão mais branco do que as velas do seu navio: dum pulo avançou para o timoneiro e atingiu-o tão furiosamente com o punhal que não lhe acertou, mas precipitou-o ao mar; depois pegou no leme e tentou remediar a enorme desordem que revolucionava o seu bravo e corajoso navio. Corriam-lhe pelas faces lágrimas de desespero; porque experimentamos maior desgosto por uma traição que destrói um resultado devido ao nosso talento, do que com uma morte iminente. Mas, quanto mais o capitão praguejava, menos trabalho se fazia. Chegou a atirar com o canhão de alarme, esperando ser ouvido da costa. Nesse momento, o corsário, que se aproximava com desesperadora rapidez, respondeu com um tiro de peça cuja bala foi cair a dez toezas do "São Fernando".

— Com mil demônios! — gritou o general. — Boa pontaria! Possuem caronadas feitas de propósito.

— Ah! Com esse, a gente tem de se calar quando ele fala — retrucou um dos marinheiros. — O Parisiense não temeria um navio inglês...

— Nada mais se pode fazer — exclamou com desespero o capitão, que tendo deitado o óculo nada distinguiu do lado de terra. — Estamos ainda mais longe da França do que calculava.

— Para que se aflige? — replicou o general. — Todos os seus passageiros são franceses; fretaram-lhe o navio. Esse corsário é Parisiense, segundo dizem; pois bem, ice a bandeira branca, e...

— E meter-nos-á a pique — respondeu o capitão. — Não é ele, segundo as circunstâncias, tudo quanto pode ser quando quer se apoderar duma boa presa?

— Ah! Se é um pirata...

— Pirata! — tornou o capitão num tom feroz. — Ah! Está sempre em regra, apesar de tudo.

— Nesse caso — tornou o general erguendo os olhos ao céu —, resignemo-nos.

E teve a coragem precisa para conter as lágrimas.

Quando acabava de proferir essas palavras, um segundo tiro de peça, mas certeiro, enviou uma bala ao casco do "São Fernando", atravessando-o. O capitão estava consternado. A equipagem esperou uma mortal meia hora, presa do maior pavor. O "São Fernando" levava em piastras quatro milhões, que compunham a fortuna de cinco passageiros, e a do general se elevava a um milhão de francos. Por fim, o "Otelo", que se achava perto, mostrou distintamente as ameaçadoras goelas de doze canhões prontos a fazer fogo. Parecia levado por um vento que o demônio soprava de propósito para ele: mas o olhar dum marinheiro experimentado adivinhava facilmente o segredo dessa rapidez. Bastava contemplar durante um momento a construção do brigue, a sua forma estreita, alongada, a altura da mastreação, o corte do velame, a admirável ligeireza da enxárcia e a felicidade com que a sua numerosa tripulação, unida como um só homem, cuidava da perfeita orientação da superfície branca apresentada pelas velas. Tudo anunciava uma incrível segurança de poder naquela esbelta construção de madeira, tão rápida, tão inteligente como um corcel ou uma ave de rapina. A equipagem do corsário estava silenciosa e pronta, em caso de resistência, a devorar o pobre navio mercante que, felizmente para ele, se mantinha quieto, semelhante a um colegial surpreendido em falta pelo professor.

— Temos canhões! — exclamou o general apertando a mão do capitão espanhol.

Esse lançou ao velho militar um olhar cheio de coragem e desespero, dizendo-lhe:

— E homens?

O marquês examinou a equipagem do "São Fernando" e estremeceu. Os quatro negociantes estavam pálidos e trêmulos; enquanto que os marinheiros, em torno dum deles, pareciam decidir tomar o partido do "Otelo", olhando para o corsário com cúpida curiosidade. O contramestre, o capitão e o marquês trocavam entre si olhares em que se liam pensamentos verdadeiramente generosos.

— Ah! Capitão Gomez, há anos disse adeus à minha pátria e à minha família, com o coração cheio de amargura; deverei ainda deixá-los no momento em que trazia a alegria e a felicidade a meus queridos filhos?

O general voltou-se para lançar ao mar uma lágrima de raiva e viu o timoneiro nadando para o corsário.

— Dessa vez — respondeu o capitão —, dir-lhe-á, sem dúvida, adeus para sempre.

O francês assustou o espanhol com o olhar que lhe dirigiu. Nesse momento, os dois navios estavam quase bordo a bordo; e, ao aspecto da equipagem inimiga, o general acreditou na profecia de Gomez. Em volta de cada peça estavam três homens. Vendo-lhes a estátua atlética, os rostos angulosos, os braços nus e nervosos, poder-se-iam tomar por estátuas de bronze. A morte tê-los-ia atingido sem derrubar. Os marinheiros, bem-armados, ativos, ágeis e vigorosos, permaneciam imóveis. Todas aquelas caras enérgicas estavam fortemente crestadas pelo sol, endurecidas pelos trabalhos. Os olhos brilhavam-lhes como pontas de fogo e anunciavam inteligências enérgicas, alegrias infernais. Reinava um silêncio profundo no convés, negro de homens e de chapéus, acusando a disciplina implacável sob a qual uma vontade de ferro curvava aqueles demônios humanos. O chefe se achava junto do grande mastro, os braços cruzados, sem armas, tendo apenas um machado aos pés. Tinha na cabeça, para se garantir dos raios do sol, um chapéu de feltro, de abas grandes, cuja sombra lhe ocultava o rosto. Parecendo cães deitados aos pés dos donos, artilheiros, soldados e marinheiros voltavam alternativamente os olhos para o capitão e para o navio mercante. Quando os dois brigues se tocaram, o abalo tirou o corsário da sua cogitação e disse umas palavras ao ouvido dum jovem oficial que estava a dois passos dele.

— As âncoras de abordagem! — exclamou o oficial.

E o "São Fernando" foi atracado ao "Otelo" com incrível rapidez. Segundo as ordens dadas em voz baixa pelo corsário e transmitidas pelo oficial, os homens designados para os diferentes serviços se dirigiram, como seminaristas caminhando para a igreja, para o convés do navio mercante, a fim de ligarem as mãos aos marinheiros, passageiros, e apoderarem-se dos tesouros. Num momento, os tóneis cheios de piastras, os víveres e a equipagem do "São Fernando" foram transportados para bordo do "Otelo". O general julgou-se presa dum sonho quando se viu de mãos atadas e lançado como um fardo, como se ele também fizesse parte da mercadoria. Houve uma conferência entre o corsário, o oficial e um dos marinheiros, que parecia preencher as atribuições do contramestre. Quando a discussão, que foi curta, terminou, o marinheiro assobiou para reunir os homens; a uma ordem que lhes deu, pularam todos para o "São Fernando", subiram à enxárcia e começaram a despojá-lo das vergas e das velas com tanta presteza como um soldado despe no campo da batalha um camarada morto cujos sapatos e capote eram objeto da sua cobiça.

— Estamos perdidos — disse friamente ao marquês o capitão espanhol, que espiara os gestos dos três chefes durante a deliberação e os movimentos dos marinheiros, que procediam à pilhagem do seu brigue.

— Por quê? — perguntou o general no mesmo tom.

— O que quer que façam de nós? — tornou o espanhol. — Acabam certamente de reconhecer que dificilmente venderiam o "São Fernando" nos portos de França e vão metê-lo a pique para se verem livres dele. Quanto a nós, julga que se vão encarregar do nosso sustento quando nem sequer sabem para que porto vão se dirigir?

Apenas o capitão pronunciara essas palavras, o general ouviu um horrível clamor seguido do ruído causado pela queda de vários corpos no mar. Voltou-se e já não viu os quatro negociantes. Oito artilheiros de rostos sinistros tinham ainda os braços no ar quando o general os fitou com terror.

— Que lhe dizia eu? — tornou friamente o capitão espanhol.

O marquês ergueu-se bruscamente, mas o mar já se achava calmo, nem sequer pôde ver o lugar onde os seus desgraçados companheiros haviam desaparecido; rolavam nesse momento, de pés e mãos atados, sob as ondas, se os peixes os não tivessem já devorado. À pequena distância, o pérfido timoneiro e o marinheiro do "São Fernando", que pouco antes gabara o poder do capitão Parisiense, fraternizavam com os corsários e indicavam-lhes os marinheiros do brigue que reconheciam dignos de ser incorporados na equipagem do "Otelo"; quanto aos outros, tratavam de lhes prender os pés, não obstante as medonhas pragas que proferiam. Terminada a escolha, os oito artilheiros se apoderaram dos condenados e lançaram-nos ao mar sem maior cerimônia. Os corsários olhavam com maliciosa curiosidade as diferentes maneiras em que esses homens caíam, as caretas que faziam, a sua última tortura; mas os seus rostos não traíam nem zombaria, nem espanto, nem piedade. Era para eles um acontecimento muito simples, a que pareciam acostumados. Os mais velhos contemplavam de preferência com um sorriso sombrio os tonéis cheios de piastras depostos perto do grande mastro. O general e o capitão Gomez, sentados sobre um fardo, consultavam-se em silêncio com um olhar melancólico. Eram os únicos que restavam da equipagem do "São Fernando". Os sete marinheiro escolhidos pelos dois espiões entre os espanhóis já estavam alegremente metamorfoseados em peruanos.

— Que grandes patifes! — exclamou o general em quem uma bela e generosa indignação fez calar a dor e a prudência.

— Obedecem à necessidade — retrucou friamente Gomez. — Se encontrasse um desses homens não o atravessaria com a sua espada?

— Capitão — disse o oficial, voltando-se para o espanhol —, o Parisiense ouviu falar a seu respeito. É, segundo ele diz, o único homem que conhece bem as passagens das Antilhas e as costas do Brasil. Quer...

O capitão interrompeu o oficial com uma exclamação de desprezo e respondeu:

— Morrerei como marinheiro, espanhol fiel, e cristão... ouviste?

— Ao mar! — gritou o jovem.

A esta ordem, dois artilheiros apoderaram-se de Gomez.

— São uns covardes! — exclamou o general detendo os dois corsários.

— Meu velho — disse o oficial —, não se encolerize tanto. Se a sua fita vermelha causa alguma impressão ao nosso capitão, eu rio-me dela... Também vamos ter daqui a pouco uns minutos de conversação.

Nesse momento, um ruído profundo fez compreender ao general que o bravo Gomez morrera como marinheiro.

— A minha fortuna ou a morte! — exclamou num horrível acesso de raiva.

— Ah! É razoável — respondeu-lhe o corsário em ar de troça.

— Assim pode ter a certeza de obter qualquer coisa de nós...

Em seguida, fez sinal a dois marinheiros, que se apressaram a amarrar os pés do francês; mas este batendo-lhes com uma audácia imprevista, tirou, sem que ninguém pudesse esperar semelhante coisa, o sabre que o oficial trazia ao lado e começou a servir-se dele agilmente como velho general de cavalaria que sabe do seu ofício.

— Ah! Bandidos, não atirarão à água como se fosse uma ostra um antigo soldado de Napoleão!

Uns tiros disparados quase à queima-roupa sobre o recalcitrante francês atraíram a atenção do Parisiense, então ocupado a vigiar o transporte dos despojos do "São Fernando". Sem se perturbar, foi agarrar por detrás o corajoso general, dominou-o, rapidamente, e dispunha-se a lançá-lo à água com a maior facilidade. Nesse momento, o general encontrou o olhar selvático do raptor de sua filha. Pai e genro reconheceram-se imediatamente. O capitão, mudando de movimento, como se o marquês não pesasse nada, longe de o precipitar ao mar, colocou-o de pé junto do mastro grande. Elevou-se um murmúrio no convés; então o corsário lançou um só olhar a toda aquela gente, e subitamente se restabeleceu o mais profundo silêncio.

— É o pai de Helena — disse o capitão com voz clara e firme. — Desgraçado daquele que o não respeitar!

Alegres aclamações ressoaram no convés e subiram para o céu como uma prece da igreja, como a primeira frase de "Te-Déum". Os grumetes balouçaram-se nas cordas, os marinheiros lançaram os bonés para o ar, os artilheiros bateram com os pés, todos gritaram. A expressão fanática dessa alegria tornou o general inquieto e sombrio. Atribuindo esse sentimento a algum mistério horrível, o seu primeiro grito, quando recuperou a fala, foi:

— Minha filha! onde está?

O corsário lançou ao general um desses olhares profundos que, sem que lhes pudesse adivinhar a razão, perturbavam sempre as almas, ainda as mais intrépidas; tornou-o mudo, com grande satisfação dos marinheiros, contentes por verem o poder do seu chefe se exercer sobre todos os seres; conduziu-o para uma escada, fê-lo descer e levou-o até junto da porta dum beliche, que empurrou vivamente dizendo:

— Ei-la.

Em seguida desapareceu, deixando o velho militar mergulhado num profundo pasmo ao aspecto do quadro que se lhe deparou. Ouvindo abrir bruscamente a porta do quarto, Helena erguera-se do divã onde repousava; viu, porém, o marquês e soltou um grito de surpresa. Estava tão mudada que só uns olhos de pai podiam reconhecê-la. O sol dos trópicos havia embelezado o seu formoso rosto, tornando-o um pouco moreno, duma cor maravilhosa que lhe dava uma expressão de poesia oriental, e notava-se-lhe um ar de grandeza, uma firmeza majestosa, um sentimento profundo ante o qual a alma, por mais grosseira, devia ficar impressionada. Os seus cabelos, compridos e abundantes, caíam em anéis sobre o pescoço dum busto nobre, ajuntando ainda uma imagem de força à altivez daquele rosto. Na sua atitude, nos seus gestos, Helena deixava perceber a segurança que tinha do seu poder. Uma triunfal satisfação brilhava nos seus lindos olhos, e a sua tranquila felicidade estava assinalada em todas as perfeições da sua beleza. Havia nela a suavidade da virgem ao mesmo tempo que essa espécie de orgulho particular às mulheres muito amadas. Escrava e soberana, queria obedecer porque podia reinar. Estava vestida com uma magnificência cheia de encanto e elegância. A sua *toilette* era de musselina das Índias; mas o divã e as almofadas eram de cachemira, um magnífico tapete da Pérsia como soalho da vasta cabine, e os seus quatro filhos brincavam a seus pés, construindo os seus castelos extravagantes com colares de pérolas, joias preciosas, objetos de preço. Algumas jarras de porcelana de Sèvres, pintadas pela senhora Jaguotat, continham flores raras que perfumavam o ar: eram jasmins do México, camélias, entre as quais voltejavam uns passarinhos da América, que faziam o efeito de safiras, de rubis, de ouro animado. Havia aí um piano, e nas paredes de madeira forradas de seda vermelha, viam-se espalhados quadros de pequenas dimensões, mas devidos aos melhores pintores: um "Pôr do sol", de Hipólito Schinner, achava-se ao lado dum Terburg; uma "Virgem" de Rafael lutava em poesia com um esboço de Géricault; um Gerard Dow eclipsava os pintores de retratos do Império. Sobre uma mesa de charão estava um prato de ouro contendo deliciosos frutos. Enfim, Helena parecia ser a rainha dum vasto país no meio do toucador em que o seu coroado amante houvesse reunido as coisas mais elegantes da terra. As crianças fitavam no avô olhares de penetrante vivacidade; e, habituadas, como estavam, a viver no meio de combates, de tempestades e de tumulto, semelhavam-se a esses pequenos romanos curiosos de guerra e de sangue que David pintou no seu quadro de "Brutus".

— Como é isto possível? — exclamou Helena apertando o pai como para se assegurar da realidade daquela visão.

— Helena!

— Meu pai.

Caíram nos braços um do outro, beijando-se afetuosamente.

— Estava naquele navio?

— Sim — tornou ele tristemente, sentando-se no divã e olhando para as crianças que, num grupo junto dele, o examinavam com curiosa atenção. — Ia morrer se não fosse...

— Meu marido — disse Helena interrompendo-o —, adivinho.

— Ah! — exclamou o general —, para que te havia de encontrar assim, minha Helena, tu por quem tanto tenho chorado, para ficar mais desesperado pelo teu destino!

— Por quê? — perguntou Helena sorrindo. — Não gostará de saber que sou a mais feliz das mulheres?

— Feliz! — exclamou o pai dando um salto de surpresa.

— Sim, meu bom pai — tornou Helena apoderando-se das suas mãos, beijando-as, apertando-as contra o seio palpitante e, juntando a essa carícia um meneio de cabeça que os seus olhos brilhando de prazer tornavam ainda mais significativo.

— Como assim? — perguntou o general, curioso de saber a vida da filha, e tudo esquecendo diante daquela fisionomia resplandecente.

— Ouça, meu pai — respondeu Helena —, eu tenho por amante, por esposo, por servo, por senhor, um homem cuja alma é tão vasta como esse mar sem limites, tão fértil em doçura como o céu, um deus, enfim! Durante sete anos, jamais lhe escapou uma palavra, um sentimento, um gesto que pudesse produzir uma dissonância com a divina harmonia das suas palavras, das suas carícias e do seu amor. Sempre me fitou com um sorriso nos lábios e a alegria nos olhos. Lá em cima a sua voz poderosa domina muitas vezes os rugidos da tempestade ou o tumulto dos combates; porém aqui é suave e melodiosa como a música de Fossini, cujas obras recebo. Os meus desejos são mesmo excedidos; todos os meus caprichos, satisfeitos. Enfim, reino sobre o mar, e sou obedecida como pode ser uma soberana. Ah! Feliz! Feliz não é a palavra que possa exprimir a minha ventura. Pertence-me a parte de todas as mulheres! Sentir um amor, uma dedicação sem limites por aquele que se ama, e encontrar no seu coração um infinito sentimento onde a alma duma mulher se perde, e sempre! diga-me, há ventura maior? Já devorei mil existências. Aqui, sou só, aqui ordeno. Jamais uma criatura do meu sexo pôs os pés neste nobre navio, onde Vitor está presente sempre a alguns passos de mim. Não pode ir mais longe do que da popa à proa — acrescentou com uma expressão de malícia. — Sete anos! Um amor que resiste durante sete anos a essa alegria perpétua, a essa prova de todos os instantes, é amor? Não! Ah! Não, é melhor do que tudo que conheço na vida... A linguagem humana é insuficiente para exprimir uma felicidade celeste.

Uma torrente de lágrimas se lhe escapou dos olhos. As quatro crianças soltaram um grito de angústia, correram para a mãe como uma ninhada de pintos, e o mais velho bateu no general olhando-o com ar ameaçador.

— Abel — disse a mãe —, meu anjo, choro de alegria.

Pô-lo sobre os joelhos, e a criança acariciou-a familiarmente, pondo os braços em volta do pescoço majestoso de Helena, como um leãozinho brincando com a mãe.

— Nunca te aborreces? — exclamou o general atônito com a resposta exaltada da filha.

— Sim — tornou ela —, em terra quando aí vamos; e ainda assim nunca me separo de meu marido.

— Mas tu gostavas de festas, de bailes, de música?

— A música é a sua voz; as minhas festas são os enfeites que invento para lhe parecer bem. Quando uma *toilette* lhe agrada, não é como se o mundo inteiro me admirasse? Eis o motivo por que não lanço ao mar estes diamantes, estes colares, estes diademas de pedraria, estas riquezas, estas flores, estas obras-primas da arte que me prodigaliza dizendo-me: "Helena, visto que não queres viver no mundo, quero que ele venha ter contigo."

— Mas neste navio há homens, homens audaciosos, terríveis, cujas paixões...

— Compreendo-o, meu pai — replicou sorrindo. — Tranquilize-se. Jamais imperatriz alguma foi cercada de tanto respeito e consideração como me são prodigalizados. Essa gente é supersticiosa; julgam-me o gênio tutelar deste navio, das suas empresas, dos seus sucessos. Mas é "ele" o seu Deus! Um dia, uma única vez, um marinheiro faltou-me ao respeito... em palavras — acrescentou ela rindo. — Antes que Vitor o soubesse, a equipagem lançou-o ao mar não obstante o perdão que lhe concedi. Amam-me como o seu anjo bom, trato-os nas suas enfermidades, e tenho tido a felicidade de salvar alguns da morte velando-os com uma perseverança de mulher. Estas pobres criaturas são ao mesmo tempo gigantes e crianças.

— E quando há combates?

— Já estou habituada. Só tremi ao primeiro. Agora a minha alma se acostumou ao perigo, e além disso... sou sua filha e amo Vitor.

— E se ele morresse?

— Morreria também.

— E teus filhos?

— São filhos do oceano e do perigo, partilham a vida dos pais... A nossa existência é uma e não se divide. Vivemos todos da mesma vida, todos inscritos na mesma página, levados no mesmo esquife, bem o sabemos.

— Amá-lo, pois, ao ponto de o preferires a tudo?

— A tudo — repetiu Helena. — Mas não sondemos esse mistério. Olhe! Essa querida criança, pois bem! É ainda "ele"!

Em seguida, abraçando Abel com um vigor extraordinário, beijou-o apaixonadamente nos cabelos...

— Mas — exclamou o general — não poderei esquecer que acaba de lançar nove pessoas ao mar!

— É porque assim foi preciso — respondeu Helena —, porque ele é humano e generoso. Derrama o menos sangue possível para a conservação e o interesse do pequeno mundo que protege e da causa sagrada que defende. Fale-lhe a esse respeito, e verá que há de conseguir com que mude de parecer.

— E o seu crime? — disse o general como se falasse consigo mesmo.

— Mas — tornou Helena com fria dignidade —, se fosse antes uma virtude? Se a justiça dos homens não tivesse podido vingá-lo?

— Vingar-se por suas próprias mãos? — exclamou o general.

— E o que é o inferno — perguntou Helena —, senão uma vingança eterna por algumas faltas de um dia?

— Ah! Estás perdida. Esse homem enfeitiçou-te, perverteu-te. Nem sabes o que dizes.

— Fique aqui um dia, meu pai e, se quiser escutá-lo e vê-lo, há de gostar dele.

— Helena — tornou gravemente o general —, nós estamos a algumas léguas de França...

Ela estremeceu, olhou para o mar soberbo e majestoso e respondeu batendo com a ponta do pé no tapete.

— É este o meu país.

— Mas não irás ver tua mãe, tua irmã, teus irmãos?

— Oh! Sim — disse com voz comovida —, se ele quiser e puder me acompanhar.

— Não tens pois mais nada, Helena — tornou o general com severidade —, nem pátria, nem família?

— Sou sua mulher — replicou Helena com altivez. — Há sete anos, é essa a primeira felicidade que não me vem dele — acrescentou pegando na mão do pai e beijando-o —, e também a primeira censura que ouço.

— E a tua consciência?

— A minha consciência! Mas é ele.

Nesse momento estremeceu violentamente.

— Ei-lo. Mesmo no meio dum combate, entre todos os passos, reconheço os seus sobre o convés.

E de súbito uma viva cor lhe avermelhou as faces e lhe tornou brilhante os olhos... Notava-se a felicidade, o amor nos seus músculos, nas suas veias azuladas, no estremecimento involuntário com que toda a sua pessoa vibrava. Este movimento de sensitiva comoveu o general. Com efeito, minutos depois entrava o corsário, sentou-se numa poltrona, pegou no filho mais velho e pôs-se a brincar com ele. Reinou o maior silêncio durante um momento; porque o general, mergulhado numa espécie de sono, contemplava esse elegante aposento, semelhante a um ninho de alciões, onde aquela família vagava sobre o oceano havia sete anos, entre os céus e o mar, confiada num homem, conduzida através os perigos da guerra e das tempestades. Olhava com admiração para a filha, a imagem fantástica duma deusa marinha, suave de beleza, transbordante de felicidade, e fazendo empalidecer todas as joias que a rodeavam ante os tesouros da sua alma, o fulgor dos seus olhos e a indescritível poesia que emanava de sua pessoa.

Essa situação oferecia uma singularidade que o surpreendia, uma sublimidade de paixão e de raciocínio que confundia as ideias vulgares. As frias e estreitas combinações da sociedade morriam perante esse quadro. O velho militar sentiu tudo isso e compreendeu ao mesmo tempo que sua filha jamais abandonaria uma existência tão funda em contrastes, preenchida por um amor verdadeiro; e depois de ter uma vez experimentado o perigo sem se assustar, não podia voltar às cenas pueris dum mundo mesquinho e limitado.

— Incomodo-os? — perguntou o corsário rompendo o silêncio e olhando para a mulher.

— Não — respondeu o general —, Helena disse-me tudo. Vejo que está perdida para nós...

— Não — replicou prontamente o corsário. — Mais alguns anos, e a prescrição permitir-me-á voltar à França. Quando a consciência está pura, e se calcaram as leis sociais, obedecendo...

Calou-se, desdenhando se justificar.

— E como pode — disse o general —, deixar de ter remorsos pelos novos assassinatos que se cometeram à minha vista?

— Não tínhamos víveres — replicou sossegadamente o corsário.

— Mas desembarcando esses homens na costa...

— Cortar-nos-iam a retirada com algum navio e não chegaríamos ao Chile.

— Antes que, de França — disse o general interrompendo-o —, tivessem prevenido o almirantado espanhol...

— Mas a França pode achar mau que um homem sujeito ainda ao seu tribunal se apoderasse dum brigue fretado por bordeleses.

De resto, nunca lhe sucedeu, no campo da batalha, disparar alguns tiros a mais?

O general intimidado pelo olhar do corsário calou-se; a filha fitou-o com uma expressão de triunfo a que se misturava uma certa melancolia.

— General — tornou o corsário com gravidade —, tenho como lei nunca tirar coisa alguma dos despojos do inimigo. Mas é fora de dúvida que a minha parte será mais considerável do que a sua fortuna. Permita-me que lha restitua noutra moeda...

Tirou duma gaveta um maço de notas de banco e entregou um milhão ao general.

— Há de compreender — acrescentou — que não posso me divertir vendo passar os transeuntes pelas ruas de Bordéus... Ora, a não ser que o seduzam os perigos da nossa vida de boêmios, as cenas da América meridional, as noites dos trópicos, as nossas batalhas e o prazer de fazer triunfar o pavilhão duma nação nova, ou o nome de Simão Bolívar, tem que nos deixar. Esperam-no uma lancha e homens dedicados. Tenhamos esperança de virmos a ter um terceiro encontro mais completamente feliz.

— Vitor, desejava estar com meu pai ainda um momento — disse Helena tristemente.

— Dez minutos a mais ou a menos podem nos pôr em frente duma fragata. Seja! divertir-nos-emos um pouco. A tripulação aborrece-se.

— Oh! Parta, meu pai — exclamou a mulher do marinheiro. — E leva a minha irmã, a meus irmãos, a... minha mãe — acrescentou Helena — essas lembranças minhas.

Pegou numa mão cheia de pedras preciosas, de colares, de joias, envolveu tudo numa riquíssima cachemira e apresentou-a timidamente ao pai.

— E que lhes direi da tua parte? — perguntou o general parecendo ter notado a hesitação da filha antes de pronunciar o nome de "mãe".

— Oh! Pode duvidar da minha alma? Todos os dias faço votos pela sua felicidade.

— Helena — tornou o ancião fitando-a com atenção —, tornar-te-ei a ver? Nunca saberei o motivo da tua fuga?

— Esse segredo não me pertence — disse a filha com gravidade. — Mas, mesmo que me assistisse o direito de lho revelar, talvez nem assim lho dissesse. Sofri durante dez anos tormentos inauditos...

Calou-se e entregou ao pai os presentes que lhe destinava. O general, acostumado pelos incidentes de guerra a ideias bastantes largas sobre os despojos da vitória, aceitou os presentes oferecidos pela filha e consolou-se pensando que, sob a inspiração duma alma tão pura, tão elevada como a de Helena, o capitão Parisiense conservava-se honesto fazendo a guerra aos espanhóis. A sua paixão pelos braços venceu-o. Pensando que seria ridículo se mostrar escrupuloso, apertou vigorosamente a mão do corsário, beijou Helena, sua única filha, com essa efusão particular aos soldados, e deixou cair uma lágrima sobre esse rosto, cuja altivez, cuja expressão varonil mais duma vez lhe tinham sorrido. O marinheiro, muito comovido, apresentou-lhe os filhos para que ele os abençoasse. Enfim, despediram-se por um demorado olhar, que não foi destituído de enternecimento.

— Sejam sempre felizes! — exclamou o avô dirigindo-se para o convés.

No mar, um espetáculo singular aguardava o general. O "São Fernando", pasto das chamas, ardia como um imenso montão de palha. Os marinheiros, encarregados de destruir o brigue espanhol, descobriram a seu bordo um carregamento de rum, licor que abundava no "Otelo", e acharam divertido deixá-lo arder fazendo um imenso *ponche* em pleno mar. Era um divertimento bastante perdoável visto que a monotonia do mar fazia aproveitar todas as ocasiões de animar a vida. Descendo à chalupa do "São Fernando", tripulada por seis marinheiros vigorosos, o general partilhava involuntariamente a sua atenção entre o incêndio do brigue e a filha encostada ao corsário, de pé à popa do seu navio. Em presença de tantas recordações, vendo o vestido branco de Helena que flutuava, como uma vela a mais, distinguindo no oceano essa bela e grande figura, bastante imponente para dominar tudo, mesmo o próprio mar, esquecia, com indiferença dum militar, que vagava sobre o túmulo do bravo Gomez.

Por cima da sua cabeça, pairava uma coluna de fumo semelhante a uma nuvem pardacenta, a que os raios do sol, quando conseguiam penetrá-la, davam poéticos reflexos. Era um segundo céu, uma cúpula sombria sob a qual brilhavam espécies de lustres, tendo na parte superior o azul inalterável do firmamento, que parecia mil vezes mais belo devido a essa efêmera oposição. As bizarras cores desse fumo, ora amarelo, ora castanho, ora vermelho, ora negro, que se fundiam vaporosamente, cobriam o navio, que rangia e estalava. A chama, mordendo as cordas, fazia como que uma espécie de assobio, e corria o navio como uma sedição popular se arrasta pelas ruas duma cidade. O rum dava um tom azulado às labaredas, como se o gênio dos mares tivesse agitado esse licor furibundo, tal como a mão dum estudante faz mover a alegre chama do *ponche* numa orgia. Mas o sol, mais poderoso de luz, invejoso dessa claridade insolente, mal deixava ver com os seus raios as cores daquele incêndio. Era como uma rede, uma echarpe que voltejava no meio da torrente de fogo. O "Otelo" aproveitava, para se afastar, o pouco vento que apanhava nessa nova direção e inclinava-se ora para um lado, ora para outro, como um papagaio balançando-se no ar. O elegante brigue bordejava para o sul; e tão depressa desaparecia à vista do general, ocultando-se com a coluna direita cuja sombra se projetava fantasticamente nas águas, como erguendo-se altivamente e fugindo. De cada vez que Helena podia ver o pai agitava o lenço dizendo-lhe adeus. Em pouco tempo o "São Fernando" submergiu-se, produzindo um ruído que o oceano logo abafou, e de toda aquela cena apenas ficou uma nuvem levada pela brisa. O "Otelo" achava-se longe; a lancha se aproximava da terra; a nuvem interpôs-se entre a frágil embarcação e o brigue. A última vez que o general viu a filha foi através desse fumo ondulante. Visão profética! Só se destacavam o lenço branco e o vestido no fundo escuro. Entre a água verde e o céu azul, o brigue nem sequer se via. Helena formava apenas um ponto imperceptível, uma linha delgada, graciosa, um anjo no céu, uma ideia, uma recordação.

Ensinamento

Depois de ter restabelecido a sua fortuna, o marquês morreu exausto de fadiga. Alguns meses depois da sua morte, em 1833, a marquesa foi obrigada a levar Moina às águas dos Pirineus. A caprichosa quis ver a beleza daquelas montanhas. Voltou às águas e, no regresso, passou-se a esta horrível cena:

— Meu Deus! — disse Moina —, fizemos bem mal, minha mãe, em não ficar mais alguns dias nas montanhas! Estávamos lá bem melhor do que aqui. Ouviu os contínuos gemidos daquela maldita criança e a tagarelice dessa desgraçada criatura de que não compreendi uma só palavra? Que gente nos deram por vizinhos! Esta noite foi uma das mais terríveis que tenho passado na minha vida.

— Não ouvi nada — respondeu a marquesa —; mas, minha querida filha, vou falar com a hospedeira e pedir-lhe o quarto contíguo; estaremos aí sós e não teremos barulho. Como te achas hoje? Estás cansada?

Dizendo estas últimas frases, a marquesa erguera-se para se aproximar do leito de Moina.

— Vejamos — disse procurando a mão da filha.

— Oh! Deixa-me mamãe — volveu Moina —, estás tão fria.

E a jovem voltou-se com um movimento de enfado, mas tão graciosa que seria difícil a uma mãe se ofender com ele. Nesse momento, um gemido, cujo acento suave e prolongado devia rasgar o coração duma mulher, ressoou no quarto vizinho.

— Mas se ouviste isto durante toda a noite, por que não me acordaste? Teríamos...

Um gemido mais profundo ainda interrompeu a marquesa, que exclamou:

— É alguém que morre!

E saiu apressadamente.

— Manda-me Paulina! — disse Moina —, vou me levantar.

A marquesa desceu prontamente e encontrou a dona do hotel no pátio, no meio de algumas pessoas que pareciam ouvi-la atentamente.

— Minha senhora, pôs junto de nós alguém que parece sofrer muito...

— Ah! Nem me fale nisso! — exclamou a hospedeira —, acabo de mandar chamar o administrador. Imagina a senhora marquesa que é uma pobre desgraçada, que chegou ontem à noite a pé. Vinha de Espanha, sem passaporte nem dinheiro, e trazia ao colo uma criancinha a morrer. Não pude deixar de recebê-la. Esta manhã, fui vê-la, porque ontem, quando aqui apareceu, fez-me enorme pena. Pobre mulher! Estava deitada ao lado do filho, e ambos se debatiam contra a morte... Quando cheguei junto dela, tirou um anel do dedo e disse: "Só possuo isto, tome-o para se pagar; será suficiente, não me demorarei aqui muito. Pobre criança! Vamos morrer juntas." Peguei no anel, perguntei-lhe quem era; mas não quis me dizer o nome... Mandei já chamar o médico e o senhor administrador.

— Mas — exclamou a marquesa — preste-lhe todos os socorros que lhe possam ser necessários. Meu Deus! talvez seja tempo ainda de salvá-la! Pagar-lhe-ei tudo que gastar.

— Ah! Minha senhora, ela me parece muito altiva, não sei se quererá.

— Vou vê-la...

E a marquesa subiu imediatamente ao quarto da desconhecida sem pensar no mal que a sua presença ia fazer àquela mulher no momento em que a diziam agonizante, pois estava ainda de luto. E apesar dos horríveis sofrimentos que haviam alterado a fisionomia de Helena, ela reconheceu a filha mais velha.

Vendo uma mulher vestida de negro, Helena sentou-se na cama, soltou um grito de terror e deixou-se cair, quando nessa mulher reconheceu a mãe.

— Minha filha — disse a senhora d'Aiglemont —, de que precisa? Paulina!... Moina!...

— Já de nada preciso — respondeu Helena com voz fraca. — Esperava tornar a ver meu pai; mas o seu luto anuncia-me...

Não acabou; apertou a criança de encontro ao peito como para aquecê-la, beijou-a na fronte e lançou à mãe um olhar onde se lia uma censura, ainda que envolta com o perdão. A marquesa não quis ver a censura; esqueceu-se que Helena fora a criança concebida outrora nas lágrimas e no desespero, a filha do dever e que tão grandes desgraças lhe causara: aproximou-se meigamente da filha mais velha, lembrando-se apenas que Helena fora a primeira a fazer-lhe conhecer os prazeres da maternidade. Os olhos da mãe estavam cheios de lágrimas; e, beijando a filha, exclamou:

— Helena! minha filha...

Helena conservava-se calada. Acabava de receber o derradeiro suspiro do seu único filho.

Nesse momento Moina entrava seguida de Paulina, a sua criada-grave, a dona do hotel e o médico. A marquesa conservava entre as suas a mão gelada da filha e contemplava-a com verdadeiro pesar. Desesperada pela desgraça, a viúva do marinheiro, que se tinha salvo dum naufrágio conservando apenas da sua bela família um único filho, disse numa voz horrível dirigindo-se à mãe:

— Tudo isto é obra sua! Se tivesse sido para mim o que...

— Moina, saia, saiam todos — gritou a senhora d'Aiglemont cobrindo a voz da Helena com a sua. — Por piedade, minha filha — tornou ela —, não renovemos neste momento as tristes lutas...

— Calar-me-ei — retrucou Helena fazendo um esforço sobrenatural. — Sou mãe, sei que Moina não deve... Onde está meu filho?

Moina, voltou, impelida pela curiosidade.

— Minha irmã — disse aquela criança cheia de mimos —, o médico...

— Tudo é inútil — volveu Helena. — Ah! Por que não morri aos dezesseis anos, quando queria matar-me! A felicidade nunca se acha fora das leis!... Moina... tu...

Morreu inclinando a cabeça para o filho, que apertava a si convulsivamente.

— Tua irmã queria te dizer, Moina — disse a senhora d'Aiglemont, quando voltou para seu quarto, onde rompeu em sentido pranto —, que a felicidade nunca se encontra, para uma jovem, numa vida romanesca, fora das ideias recebidas e, principalmente, longe de sua mãe.

VI
A VELHICE DUMA MÃE CULPADA

Expiação

Num dos primeiros dias do mês de junho de 1844, uma senhora de cerca de cinquenta anos, mas que parecia velha demais para a sua idade, passeava ao sol, perto do meio-dia, por uma alameda, no jardim dum grande palacete situado na rua Plumet, em Paris. Depois de ter dado duas ou três voltas pela vereda levemente sinuosa onde se achava, para não perder de vista as janelas dum aposento que parecia atrair toda a sua atenção, foi se sentar numa cómoda cadeira de palha. Do lugar onde se encontrava, a dama podia abranger não só os bulevares, no centro dos quais se elevava a admirável cúpula dos Inválidos, realçando o seu dourado entre os olmeiros, paisagem admirável, mas ainda o aspecto menos grandioso do seu jardim terminado pela fachada acinzentada dum dos mais belos palácios do bairro Saint-Germain. Aí tudo se achava mergulhado em silêncio, os jardins vizinhos, os bulevares, os Inválidos; porque, nesse aristocrático bairro, o dia só começa ao meio-dia. A não ser por algum capricho, ou porque uma jovem queira montar a cavalo, ou porque um velho diplomata tenha um protocolo a refazer, a essa hora, criados e patrões, todos dormem, ou todos despertam.

A velha senhora tão matutina era a marquesa d'Aiglemont, mãe da senhora de Saint-Héreen, a quem pertencia esse belo palácio. A marquesa privava-se dele em proveito de sua filha, a quem tinha dado toda a sua fortuna, reservando para si uma pensão vitalícia. A condessa Moina de Saint-Héreen era a última filha da senhora d'Aiglemont. Para a fazer desposar o herdeiro duma das casas ilustres de França, a marquesa sacrificara tudo. Nada mais natural: tinha perdido sucessivamente dois filhos: um, Gustavo, marquês d'Aiglemont, morrera de cólera; o outro, Abel, tinha sucumbido em Constantina. Gustavo deixou viúva e filhos. Mas a afeição bastante tíbia que a senhora d'Aiglemont tivera pelos filhos enfraquecera ainda passando para os netos. Procedia muito corretamente com a senhora d'Aiglemont, filha; mas cingia-se ao sentimento superficial que o bom gosto e as conveniências nos mandam testemunhar ao próximo.

Regularizada perfeitamente a fortuna dos dois filhos, reservava para a sua querida Moina as suas economias e os seus bens. Moina, bela e encantadora desde criança, tinha sido sempre para a senhora d'Aiglemont objeto duma dessas predileções inatas ou involuntárias nas mães de família; simpatias fatais que parecem inexplicáveis, ou que os observadores sabem explicar excessivamente bem.

O rosto encantador de Moina, o som de voz dessa filha querida, os modos, o andar, a fisionomia, os gestos, tudo despertava na marquesa as mais profundas comoções, que podem animar, perturbar ou encantar o coração de uma mãe. O princípio da sua vida presente, futura e passada, estava no coração daquela jovem, onde lançou todos os seus tesouros. Moina tinha felizmente sobrevivido aos quatro irmãos mais velhos. A senhora d'Aiglemont perdera, da maneira mais desgraçada, dizia-se na alta roda, uma menina encantadora cujo destino era quase desconhecido e um menino de cinco anos vítima duma catástrofe horrível. A marquesa viu certamente um presságio do céu no respeito que o destino parecia ter pela filha preferida, e apenas tinha umas fracas recordações dos filhos que a morte lhe arrebatara ao sabor dos seus caprichos, e que conservava no fundo de sua alma, como esses túmulos erigidos num campo de batalha, que quase desaparecem sob as flores do campo.

O mundo podia pedir à marquesa contas severas dessa indiferença e dessa predileção; porém a sociedade de Paris é arrastada por uma tal torrente de acontecimentos, de modas, de ideias novas, que a existência da senhora d'Aiglemont era aí esquecida. Não pensava em considerar um crime essa frieza, esse esquecimento que a ninguém interessava, enquanto que a sua viva ternura por Moina interessava muita gente e tinha toda a santidade dum preconceito. De resto, a marquesa pouco frequentava a sociedade; e, para a maior parte das famílias que a conheciam, parecia boa, meiga, piedosa, indulgente. Ora, não seria preciso um interesse muito vivo para ir além dessas aparências com que o mundo se contenta? Depois, que não se perdoa aos velhos, quando se afastam como sombras e só desejam ser uma recordação? Enfim, a senhora d'Aiglemont era um modelo muitas vezes citado pelos filhos aos pais, pelos genros às sogras. Tinha, ainda em vida, dado os bens a Moina, contente com a felicidade da jovem condessa, e vivendo só por ela e para ela. Se algum velho prudente censurava o seu procedimento dizendo: "A senhora d'Aiglemont talvez se arrependa um dia de haver se desapossado da sua fortuna em favor da filha; porque, se conhece bem o coração da senhora de Saint-Héreen, pode ter a mesma confiança na moralidade do genro?", elevava-se imediatamente contra esses profetas um murmúrio geral, e, de todos os lados, choviam elogios a Moina.

— Deve-se prestar essa justiça à senhora de Saint-Héreen — dizia uma senhora muito nova —, a mãe não achou mudança alguma em torno de si. A senhora d'Aiglemont está muito bem alojada; tem carruagem sempre às ordens e pode frequentar a sociedade como dantes e ir onde queira...

— Exceto aos Italianos — respondia em voz baixa um parasita, uma dessas personagens que se julgam no direito de acabrunhar os amigos de epigramas sob o pretexto de dar provas de independência. — A marquesa só gosta de música, no que toca a assuntos estranhos à filha predileta. Tocava e cantava tão bem no seu tempo! Mas como o camarote da condessa está sempre invadido por uma multidão de admiradores, e incomodaria a jovem, de quem já se fala como duma grande coquete, a pobre mãe não vai nunca aos Italianos.

— A senhora de Saint-Héreen — dizia uma moça solteira — oferece à sua mãe umas noites deliciosas, um salão onde vai toda Paris.

— Um salão onde ninguém presta atenção à marquesa — tornava o parasita.

— O fato é que a senhora d'Aiglemont nunca está só — dizia um jovem pretensioso tomando o partido das senhoras.

— De manhã — replicava o velho observador em voz baixa —, a querida Moina está no Bosque. À noite, a querida Moina vai ao baile ou ao teatro... Mas é certo que a senhora d'Aiglemont tem o recurso de ver a sua querida filha enquanto se veste ou durante o jantar quando a querida Moina janta, por acaso, com a sua querida mãe. Ainda não há oito dias, senhor — continuou o parasita dando o braço a um tímido preceptor, que ia pela primeira vez àquela casa —, vi essa pobre mãe triste e sozinha junto do fogão. "Que tem?" perguntei-lhe.

A marquesa fitou-me sorrindo; mas com certeza tinha chorado. "Pensava, respondeu-me ela, que é bem singular me encontrar só, depois de ter tido cinco filhos; mas são coisas do nosso destino! E depois sou feliz quando sei que Moina se diverte!" A marquesa podia confiar em mim, que conheci o marido. Era um pobre homem e foi bem feliz por ter casado com ela; devia-lhe certamente o pariato e as funções que tinha na corte de Carlos X.

Mas insinuam-se tantos erros nas conversações tidas na sociedade, fazem-se com tanta leviandade desgraças tão profundas, que o historiador dos costumes é obrigado a pesar com sensatez as asserções descuidadamente emitidas por tantos indiferentes. Enfim, talvez nunca se deva declarar de que lado está a razão, se do filho, se da mãe. Entre esses dois corações só há um juiz possível. Esse juiz é Deus! Deus que, muitas vezes, assenta a sua vingança no seio das famílias, servindo-se eternamente dos filhos contra as mães, dos pais contra os filhos, do povo contra os reis, dos príncipes contra as nações, de tudo contra tudo; substituindo no mundo moral os sentimentos pelos sentimentos; procedendo, em vista duma ordem imutável, dum fim que só ele conhece. Sem dúvida, tudo vai para o seu seio, ou, melhor ainda, para aí volta.

Esses pensamentos religiosos, tão naturais aos corações dos velhos, flutuavam na alma da senhora d'Aiglemont; achavam-se aí meio luminosos, ora ocultos, ora emergindo completamente, como flores atormentadas à superfície das águas durante uma tempestade. Sentara-se cansada, enfraquecida por uma longa meditação, por um desses devaneios em que surge toda uma existência, desenrolando-se ante os olhos dos que pressentem a morte.

Essa mulher, envelhecida antes do tempo, teria oferecido um quadro curioso a algum poeta que passasse pelo bulevar. Vendo-a sentada à fraca sombra duma acácia, todos poderiam ler uma das mil coisas escritas naquela face pálida e fria, apesar dos raios quentes do sol. O seu rosto cheio de expressão representava qualquer coisa mais grave ainda do que uma existência ao declinar, ou mais profunda do que uma alma oprimida pela experiência. Era uma dessas fisionomias que, entre mil desdenhadas porque não possuem caráter, nos fazem parar um momento, nos dão que pensar; como, entre mil quadros dum museu, nos sentimos fortemente impressionados, ou pela cabeça sublime onde Murilo pintou a dor materna, ou pelo rosto de Beatriz Cenci onde Guido soube representar a mais tocante inocência no fundo do mais horrível crime, ou pela face sombria de Filipe II, onde Velasquez imprimiu para sempre o terror majestoso que deve inspirar a realeza. Certos rostos humanos são imagens despóticas que nos falam, interrogam, respondem aos nossos secretos pensamentos, e fazem até poemas completos. O rosto gelado da senhora d'Aiglemont era uma dessas terríveis poesias, uma dessas faces espalhadas aos milhares na "Divina Comédia" de Dante Alighieri.

Durante a rápida estação em que a mulher permanece em flor, os caracteres da sua beleza servem-lhe admiravelmente bem para dissimulação à qual a sua fraqueza natural e as leis sociais a condenam. Sob o rico colorido do seu fresco rosto, sob o fogo das suas feições tão delicadas, com tantas linhas curvas ou retas, mas puras e perfeitamente determinadas, todas as suas comoções podem permanecer secretas; o rubor então nada revela aumentando ainda cores já tão vivas; todos os focos interiores concordam tão bem com a luz desses olhos brilhantes de vida, que a passageira chama dum sofrimento aparece como um encanto a mais. Por isso, nada há mais discreto do que um rosto juvenil, porque também não há nada mais imóvel. A fisionomia duma jovem tem a serenidade, o polido, a frescura da superfície de um lago; a das mulheres só se revela aos trinta anos. Até essa idade, o pintor só lhes acha no rosto róseo e branco, sorrisos e expressões que repetem um mesmo pensamento, pensamento de mocidade e de amor, pensamento uniforme e sem profundidade; mas, na velhice, tudo na mulher falou, as paixões incrustaram-se-lhes no rosto; foi amante, esposa e mãe; as mais violentas expressões de alegria e de dor acabaram por lhe alterar, torturar o rosto, formando aí mil rugas, tendo todas uma linguagem; e uma cabeça de mulher torna-se então sublime de horror, bela de melancolia, ou magnífica de serenidade; se é permitido prosseguir essa estranha metáfora, o lago estancado deixa então ver todos os traços das torrentes que o produziram; uma cabeça de mulher velha já então não pertence nem ao mundo que, frívolo, se assusta de ver a destruição de todas as ideias de elegância a que está habituado, nem aos artistas vulgares que nada descobrem aí; mas sim aos verdadeiros poetas, àquelas que possuem o sentimento duma beleza independente de todas as convenções sobre que repousam tantos preconceitos com respeito à arte e à formação.

Ainda que a senhora d'Aiglemont tivesse um chapéu moderno, era fácil ver que os seus cabelos haviam embranquecido devido a comoções cruéis; mas a maneira como os usava, separados ao meio, traía o seu bom gosto, revelava os seus graciosos hábitos de mulher elegante e desenhava perfeitamente a sua fronte envelhecida, enrugada, onde se encontravam ainda assim vestígios do seu antigo brilho. A forma do rosto, a regularidade das feições davam uma ideia, fraca na verdade, da beleza de que fora, por certo, orgulhosa; porém esses indícios acusavam ainda mais as dores, que deviam ter sido agudíssimas para alterar até àquele ponto o rosto outrora tão formoso. Tudo era silencioso naquela mulher; o andar e os movimentos tinham esse sossego grave e recolhido que imprime respeito. A sua modéstia, alterada em timidez, parecia ser o resultado do hábito, que tomara havia alguns anos, de se eclipsar na presença da filha; as suas palavras eram raras, suaves, como as de todas as pessoas obrigadas a refletirem, a concentrarem-se, a viverem consigo mesmas.

Essa atitude inspirava um sentimento indefinível, que nem era receio nem compaixão, mas em que se fundavam misteriosamente todas as ideias que despertam essas diversas afeições. Enfim, a natureza das suas rugas, a tristeza do seu olhar, tudo eloquentemente testemunhava essas lágrimas que, devoradas pelo coração, não caem nunca na terra. Os desgraçados acostumados a contemplarem o céu, para o tomarem como testemunha das desgraças da sua vida, teriam reconhecido facilmente nos olhos dessa mãe o hábito cruel duma oração feita a cada momento do dia e os vestígios ligeiros desses golpes secretos que acabam por destruir as flores da alma e até o próprio sentimento da maternidade. Os pintores têm cores para esses retratos, porém as ideias e as palavras são impotentes para as traduzir fielmente. Encontram-se na expressão do rosto fenômenos que a alma percebe pela vista, mas a narrativa dos fatos a que são devidas essas tão terríveis alterações da fisionomia é o único recurso que resta ao poeta para as fazer compreender.

O rosto da marquesa anunciava uma tempestade calma e fria, um combate secreto entre o heroísmo da dor materna e a enfermidade dos nossos sentimentos, que são infinitos como nós mesmos e onde nada se encontra de infinito. Esses sofrimentos incessantemente recalcados haviam produzido, por fim, um não sei que de mórbido naquela mulher. Sem dúvida, algumas comoções por demais violentas tinham alterado fisicamente aquele coração materno, e alguma doença, um aneurisma talvez, ameaçava lentamente Júlia sem que ela o soubesse. As verdadeiras penas são na aparência tão tranquilas no seu leito profundo onde parecem dormir, mas onde continuam a corroer a alma, como esse terrível ácido que fura o cristal! Nesse momento duas lágrimas corriam pelas faces da marquesa, e ergueu-se como se alguma recordação mais pungente que todas as outras a tivesse ferido vivamente. Julgara sem dúvida o futuro de Moina. Ora, prevendo os desgostos que aguardavam sua filha, todas as desgraças da sua própria vida lhe alancearam o coração.

A situação dessa mãe compreender-se-á explicando a da filha.

O conde de Saint-Héreen tinha partido havia cerca de seis meses em cumprimento duma missão política. Durante essa ausência,

Moina, que a todas as vaidades de mulher elegante juntava as vontades caprichosas da criança cheia de mimos, divertia-se, por leviandade ou para obedecer às mil garridices da mulher, e talvez para lhes experimentar o poder, a brincar com a paixão dum homem hábil, porém sem coração, dizendo-se louco de amor, desse amor em que se combinam todas as pequenas ambições sociais e vaidosas do fátuo. A senhora d'Aiglemont, a quem uma longa experiência ensinara a conhecer a vida, a julgar os homens, a temer a sociedade, tinha observado os progressos dessa intriga e pressentia a perda da filha, vendo-a cair nas mãos dum homem para quem não havia nada sagrado. Não era para a pobre mãe um horror encontrar um devasso no homem que Moina escutava com prazer? A sua filha querida achava-se à borda dum abismo. Tinha disso a tremenda certeza e não ousava desviá-la, porque tremia diante da condessa. Sabia de antemão que Moina não atenderia nenhum dos seus sensatos conselhos; não tinha poder algum sobre a sua alma, de ferro para ela e tão suave para todos os demais. A sua ternura levá-la-ia a se interessar pelas desgraças duma paixão justificada pelas qualidades nobres do sedutor, porém sua filha seguia um movimento de coquetismo; e a marquesa desprezava o conde Alfredo de Vandenesse, sabendo-o capaz de considerar a luta com Moina como uma partida de xadrez.

Apesar de Alfredo de Vandenesse causar horror a essa desgraçada mãe, via-se obrigada a ocultar no mais íntimo do coração as razões supremas da sua antipatia. Achava-se intimamente ligada ao marquês de Vandenesse, pai de Alfredo, e essa amizade, respeitável aos olhos do mundo, autorizava o rapaz a ir familiarmente à casa da condessa de Saint-Héreen, pela qual fingia uma paixão que durava desde a infância. Seria debalde que a senhora d'Aiglemont se decidiria a lançar entre a filha e Alfredo de Vandenesse uma palavra terrível que os devia separar; estava certa que não o consentiria, não obstante o poder dessa palavra, que a desonraria aos olhos da filha.

Alfredo tinha demasiada corrupção, Moina demasiado espírito para acreditar nessa revelação, e a jovem condessa tê-la-ia posto de parte considerando-a como astúcia materna. A senhora d'Aiglemont construíra o seu cárcere com as suas próprias mãos e encerrara-se nele para aí morrer, vendo perder-se a bela existência de Moina, essa vida que se tornara a sua glória, a sua felicidade e consolação, uma existência para ela mil vezes mais querida do que a sua própria. Sofrimentos horríveis, incríveis, sem linguagem! Abismo sem fundo!

 Esperava impacientemente que a filha se erguesse, e ao mesmo tempo receava a sua presença, semelhante ao desgraçado condenado à morte que desejaria acabar com a vida e ao mesmo tempo se sente gelado pensando no carrasco. A marquesa resolvera tentar um último esforço; porém temia talvez menos ver malograda a sua tentativa, do que receber um desses ferimentos tão dolorosos ao seu coração, que lhe haviam esgotado toda a coragem. O seu amor de mãe chegara àquele ponto: amar a filha, temê-la, recear uma punhalada e expor-se ao seu golpe.

 O sentimento materno é tão grande nos corações amorosos que, antes de chegar à indiferença, uma mãe deve morrer se apoiando em algum grande poder: a religião ou o amor. Desde que se levantara nessa manhã, a fatal memória da marquesa reconstruíra-lhe alguns desses fatos, insignificantes na aparência, mas que na vida moral se tornam grandes acontecimentos. Com efeito, um gesto desenvolve por vezes todo um drama, o acento duma palavra despedaça uma existência inteira, a indiferença dum olhar mata a paixão mais venturosa. A marquesa d'Aiglemont tinha desgraçadamente visto muitos gestos, ouvido muitas dessas palavras, recebido muito desses olhares terríveis para a alma, para que as suas recordações pudessem incutir-lhe esperanças. Tudo lhe provava que Alfredo a tinha perdido no coração da filha, onde se conservava ainda menos como um prazer do que como um dever. Mil coisas, insignificantes até, atestavam-lhe o procedimento detestável da condessa para com ela, ingratidão que a marquesa considerava talvez como um castigo. Procurava desculpas para a filha nos desígnios da Providência, a fim de ainda adorar a mão que a feria. Durante essa manhã, recordou-se de tudo e sentiu-se de novo tão vivamente ferida no coração, que o cálice da amargura devia transbordar, por muito leve que fosse o desgosto aí lançado. Um olhar frio podia matar a marquesa. É difícil descrever esses fatos domésticos, mas alguns bastarão talvez para indicar todos. Assim a marquesa, tornando-se um pouco surda, nunca pudera conseguir que Moina elevasse a voz para lhe falar; e no dia em que, na ingenuidade da criatura que sofre, pediu à filha que repetisse uma frase, que não compreendera, a jovem condessa obedeceu, porém com tão má vontade que não permitiu à mãe reiterar o seu modesto pedido. Desde esse dia, quando Moina narrava um fato qualquer, a marquesa tinha o cuidado de se aproximar dela; mas muitas vezes a condessa parecia aborrecida com a enfermidade que censurava levianamente à mãe. Esse exemplo, escolhido entre mil, só podia ferir o coração duma mãe. Todos esses fatos teriam talvez escapado a um observador qualquer, pois só uma delicadeza de mulher os poderia notar.

Tendo a senhora d'Aiglemont dito um dia à filha que a princesa de Cadignan viera visitá-la, Moina exclamou simplesmente: "Como! Veio visitá-la?" A expressão com que a filha proferiu essas palavras, dava a entender um espanto, um desprezo intraduzíveis. A senhora d'Aiglemont levantou-se, sorriu e foi chorar em segredo. As pessoas bem-educadas, e as mulheres principalmente, se traem os seus sentimentos é por movimentos imperceptíveis, mas que nem por isso fazem com que vibrem menos os corações daqueles que podem achar nas suas existências situações análogas à daquela mãe angustiada. Oprimida com semelhantes lembranças, a marquesa d'Aiglemont recordou-se de um desses fatos microscópicos tão picantes, tão cruéis, que nunca lhe haviam mostrado tão bem como naquele momento o desprezo atroz oculto sob sorrisos.

Mas as lágrimas secaram-se quando ouviu abrir as janelas do quarto onde a filha repousava. Dirigiu-se apressada para aí seguindo a alameda onde estivera sentada. Enquanto andava, notou o cuidado particular com que o jardineiro varrera essa rua, pouco tratada havia algum tempo. Quando a senhora d'Aiglemont chegava junto das janelas do quarto da filha, as persianas fecharam-se bruscamente.

— Moina! — chamou ela.

Não teve resposta.

— A senhora condessa acha-se na saleta — disse a criada de quarto de Moina quando a marquesa perguntou se a filha estava levantada.

A senhora d'Aiglemont estava muitíssimo preocupada de coração e de espírito para refletir naquele momento em circunstâncias tão insignificantes; dirigiu-se rapidamente à saleta onde encontrou a condessa de roupão, o cabelo em desalinho, tendo a chave do quarto no cinto, o rosto animado das mais vivas cores. Estava sentada num divã e parecia refletir.

— Quem é? — perguntou com mau modo. — Ah! É minha mãe — tornou distraída.

— Sim, minha filha, é tua mãe...

A expressão que a senhora d'Aiglemont deu a estas palavras manifestava uma ternura do coração e uma comoção íntima, de que seria difícil dar uma ideia sem empregar a palavra santidade. Com efeito, revestira-se tão bem com o sagrado caráter duma mãe, que a filha notou-o, e voltou-se para ela num movimento que exprimiu ao mesmo tempo o respeito, a inquietação e o remorso. A marquesa fechou a porta da saleta, onde ninguém podia entrar sem fazer ruído nos quartos precedentes; e assim estava garantida de qualquer indiscrição.

— Minha filha — disse a marquesa —, é meu dever te esclarecer sobre uma das crises mais importantes da nossa vida de mulher, e em que te encontras sem o saberes talvez, mas de que venho falar-te mais como amiga do que como mãe. Casando-te, tornaste-te senhora das tuas ações, que só a teu marido tens de dar contas; mas fiz-te sempre sentir tão pouco a autoridade materna (e foi talvez um erro) que me julgo no direito de fazer com que me ouças, uma vez pelo menos, na grave situação em que deves carecer de conselho. Reflete, Moina, que casaste com um homem de alto valor, de quem podes ser orgulhosa, que...

— Minha mãe — exclamou Moina com desenvoltura e interrompendo-a —, já sei o que quer me dizer... Vai-me pregar por causa do Alfredo...

— Não adivinharias tão facilmente, Moina — tornou a marquesa em tom grave, tentando conter as lágrimas —, se não sentisses que...

— O quê? — disse Moina quase com altivez. — Mas, minha mãe, na verdade...

— Moina — exclamou a senhora d'Aiglemont com grande esforço —, é preciso que ouça atentamente o que devo lhe dizer...

— Estou ouvindo — tornou a condessa cruzando os braços e afetando uma impaciente submissão. — Permita-me, minha mãe — acrescentou com incrível sangue-frio —, que chame Paulina a fim de mandá-la...

Tocou.

— Minha querida filha, Paulina não pode ouvir...

— Mamãe — replicou a condessa muito séria, o que deveria ter parecido extraordinário à mãe —, eu devo...

Calou-se, a criada entrava.

— Paulina, vá "você mesma" a casa de Baudran saber porque não me mandou ainda o chapéu...

Sentou-se e fitou a mãe com atenção. Esta, com o coração oprimido, os olhos enxutos e sentindo naquele momento uma dessas comoções cuja dor só uma mãe pode compreender, tomou a palavra para mostrar à filha o perigo que corria. Mas, ou porque a condessa se achasse melindrada pelas suspeitas que a mãe concebera com respeito ao filho do marquês de Vandenesse, ou porque fosse tomada duma dessas loucuras incompreensíveis cujo segredo está na inexperiência de todas as jovens, Moina aproveitou um momento em que a mãe se calara para lhe dizer rindo forçadamente:

— Mamãe, só te supunha ciumenta do papai...

A estas palavras, a senhora d'Aiglemont cerrou os olhos, curvou a cabeça e soltou um débil suspiro. Lançou um olhar para o céu, como para obedecer ao sentimento invencível que nos faz invocar Deus nas grandes crises da vida; depois dirigiu à filha os olhos cheios duma majestade terrível, onde também transparecia a dor mais profunda, e disse com a voz gravemente alterada:

— Minha filha foi mais implacável com sua mãe do que o homem que ela ofendeu, do que o será Deus talvez!

A senhora d'Aiglemont levantou-se, mas chegando à porta, voltou-se e apenas viu surpresa nos olhos da filha: saiu da sala e pôde ir até o jardim, onde as forças a abandonaram. Sentiu dores fortíssimas no coração e caiu sobre um banco. Notou então na areia vestígios muito recentes de passos de homem. Sem dúvida alguma, sua filha estava perdida. Percebeu o motivo da comissão dada a Paulina. A ideia cruel foi acompanhada duma revelação mais odiosa ainda. Supôs que o filho do marquês de Vandenesse destruíra no coração de Moina o respeito que uma filha deve ter por sua mãe. O sofrimento aumentou; desmaiou insensivelmente e ficou como que adormecida. A jovem condessa achou que a mãe se tinha permitido dar-lhe uma repreensão bastante severa e pensou que à noite, com uma carícia ou algumas atenções, far-se-ia a reconciliação. Ouvindo um grito de mulher no jardim, inclinou-se indiferente no momento em que Paulina, que ainda não saíra, gritava por socorro e sustinha a marquesa nos braços.

— Não assuste minha filha! — Foram as últimas palavras que pronunciou aquela mãe.

Moina viu transportar a mãe, pálida, inanimada, respirando com dificuldade, mas agitando os braços como se quisesse lutar ou falar. Aterrada por esse espetáculo, Moina seguiu a mãe, ajudou silenciosamente a deitá-la ao seu leito e a despi-la. A sua falta oprimia-a.

Nesse supremo momento conheceu a mãe e já não podia reparar coisa alguma. Quis ficar só com ela; e quando não se achava mais ninguém no quarto, quando sentiu o frio dessa mãe sempre carinhosa para ela, prorrompeu em copioso pranto... Despertada por esse choro, a marquesa pôde ainda olhar para a sua querida Moina; depois, ao ruído dos soluços, que pareciam querer despedaçar aquele seio delicado e oprimido, contemplou a filha, sorrindo. Esse sorriso provava à jovem matricida que o coração duma mãe é um abismo no fundo do qual se encontra sempre o perdão.

Logo que o estado da marquesa foi conhecido, mandaram chamar o médico e os netos da senhora d'Aiglemont. A jovem marquesa e os filhos chegaram ao mesmo tempo que os médicos, formaram uma assembleia bastante imponente, silenciosa, inquieta, a que se reuniram os criados. A jovem marquesa, não ouvindo nenhum ruído, foi bater mansamente à porta do quarto. A esse sinal, Moina, despertada sem dúvida da sua dor, abriu bruscamente a porta de par em par, lançou uns olhares desvairados para aquela reunião de família e mostrou-se numa desordem que dizia mais do que as palavras. Ao aspecto daquele vivo remorso, todos emudeceram. Era fácil ver os pés da marquesa hirtos e estendidos convulsivamente no leito de morte. Moina encostou-se à porta, olhou para os parentes e disse com voz cavernosa:

— Perdi minha mãe!